LA COOPÉRATION EN CLASSE

Guide pratique appliqué à l'enseignement quotidien

Denise Gaudet
directrice

Diane Jacques
psychologue

Bibiane Lachance
enseignante

Catherine Lebossé
enseignante

Carole Morelli
conseillère pédagogue

Michel Pagé
professeur

Geneviève Robert
orthopédagogue

Monika Thomas-Petit
enseignante

Teresa Walenta
orthophoniste

D1315035

Chenelière/McGraw-Hill
MONTRÉAL • TORONTO

La coopération en classe
Guide pratique appliqué à l'enseignement quotidien

Denise Gaudet et coll.

© 1998 Les Éditions de la Chenelière inc.

Coordination : Johanne Tremblay
Révision linguistique : Ginette Duphily
Correction d'épreuves : Viviane Deraspe
Conception graphique, infographie et couverture : Josée Bégin
Illustrations : Julie Gratton

Données de catalogage avant publication (Canada)

Gaudet, Denise, 1932 -

La coopération en classe : guide pratique appliqué
à l'enseignement quotidien

Comprend des réf. bibliogr.

ISBN 2-89461-097-1

   1. Enseignement - Travail en équipe. 2. Enseignement primaire - Méthodes actives. I. Titre.

LB1032.G38 1998	371.3'6	C97-941261-7

Chenelière/McGraw-Hill
7001, boul. Saint-Laurent
Montréal (Québec)
Canada H2S 3E3
Téléphone : (514) 273-1066
Télécopieur : (514) 276-0324
chene@dlcmcgrawhill.ca

ISBN 2-89461-097-1

Dépôt légal : 1er trimestre 1998
Bibliothèque nationale du Québec
Bibliothèque nationale du Canada

Imprimé au Canada par AGMV Marquis Imprimeur inc.

  2 3 4 5 02 01 00 99

Dans ce livre, le genre féminin est utilisé sans discrimination pour le sexe masculin.

La coopération en éducation est une forme d'organisation de l'apprentissage qui permet à des petits groupes hétérogènes d'atteindre des buts d'apprentissage communs en s'appuyant sur une interdépendance qui implique une pleine participation de chacun à la tâche.

MICHEL PAGÉ

Avant-propos

La Coopération en classe est une œuvre collective aussi bien dans sa conception que dans sa réalisation. Nous sommes neuf auteurs — enseignantes de classes régulières et de classes d'adaptation, enseignante spécialiste, orthopédagogue, conseillère pédagogique, orthophoniste, psychologue, professeur d'université et directrice d'école — qui avons mis nos connaissances et notre expérience au service de ceux et celles qui cherchent des moyens pour répondre aux besoins des élèves afin qu'ils soient mieux préparés à relever les défis de l'avenir.

Nous avons un but commun : produire un instrument pratique pour ceux et celles qui veulent appliquer la pédagogie de la coopération dans leur classe. Notre groupe étant lui-même hétérogène — nous provenons de milieux différents et nous exerçons, par notre formation, des fonctions diverses à temps plein —, nous avons voulu nous placer dans une situation d'apprentissage et expérimenter le travail d'équipe dans une forme d'organisation coopérative. Notre engagement en tant qu'adultes dans un tel groupe nous a donc permis de mieux comprendre la coopération en classe et d'adapter nos exigences à la réalité.

Tout en étant une forme d'organisation en petits groupes, la pédagogie de la coopération n'est pas seulement une technique ou une méthode. Elle s'inspire d'une philosophie de l'éducation qui vise à :

◆ développer l'autonomie ;
◆ favoriser des relations interpersonnelles positives ;
◆ remplacer la compétition par l'entraide ;
◆ susciter des habiletés sociales basées sur des valeurs de partage et de conciliation ;
◆ stimuler la pensée créatrice ;
◆ encourager une plus grande prise de responsabilité de l'élève en ce qui concerne son apprentissage.

La pédagogie de la coopération nous oblige aussi à délaisser la formule d'enseignement collectif et d'exercices individuels, et à former les participants au travail d'équipe en atténuant les inégalités entre eux.

Enfin, nous ne présentons pas la pédagogie de la coopération comme la seule approche valable dans une classe ou comme «la» solution à tous les problèmes soulevés par l'apprentissage. Nous proposons plutôt des notions théoriques et des activités en espérant qu'elles seront expérimentées, transformées ou enrichies dans la mesure où est respectée la philosophie de l'éducation qu'elle sous-tend.

Il ne s'agit donc pas d'un livre de recettes. Pour l'utiliser, il faut avoir un certain sens du risque appuyé par un goût pour la recherche, une capacité de se remettre en question, une ouverture aux solutions nouvelles et un certain sens de l'organisation.

Nous espérons vous donner la preuve que nous possédons toutes ces qualités sur le plan de la réflexion et de la pratique. Nos témoignages vous feront peut-être mieux apprécier l'étonnante richesse des groupes hétérogènes qui travaillent en coopération. Nous y relatons le cheminement qui nous a conduits à utiliser la pédagogie de la coopération et les raisons qui nous ont amenés à continuer en ce sens.

La structure de l'ouvrage

La Coopération en classe est composée de trois parties. La **première partie** concerne notre conception de la coopération en classe; il s'agit de l'« Introduction » dans laquelle nous traitons des caractéristiques de cette approche pédagogique, des différences entre le travail d'équipe non planifié et l'apprentissage coopératif, de l'usage stratégique de la coopération dans les apprentissages exacts et ouverts, et enfin nous apportons quelques éléments de réponse à la question : « Pourquoi s'intéresser à la coopération ? »

La **deuxième partie** constitue le cœur de l'ouvrage. Ce sont les « Activités » dont les contenus proviennent des différents programmes d'études du ministère de l'Éducation du Québec. Elles ont toutes été expérimentées en classe régulière ou en classe d'adaptation.

Pour en faciliter l'utilisation, le plan de chaque activité suit la même logique :

1. Un schéma global ou grille donne à l'enseignante les éléments principaux qui lui permettent de faire son choix.
2. Le déroulement de l'activité aide et soutient l'enseignante dans la préparation, l'application et l'évaluation de son activité, et fournit une liste du matériel nécessaire à l'élève.

La **troisième partie** comprend les « Fiches explicatives » liées directement aux activités. Elles donnent des renseignements complémentaires qui favorisent une meilleure compréhension des aspects essentiels de l'apprentissage coopératif. Par exemple, dans l'activité « Les métiers et les professions », nous indiquons : « Formez les équipes au hasard. » La personne intéressée à connaître d'autres façons de procéder pour former des sous-groupes peut se référer aux fiches et trouver sous le titre « Formation des équipes » un supplément d'information.

Les auteurs

Témoignages des auteurs

LE DIABLE N'EST PAS AUSSI NOIR QU'ON LE PEINT !

Si quelqu'un m'avait dit le jour où, pour la première fois, j'ai entendu parler de la pédagogie de la coopération que j'utiliserais cette approche dans ma pratique professionnelle, non seulement je ne l'aurais pas cru, mais je lui aurais probablement répondu qu'il délire ! C'était lors d'une session du Réseau interculturel au CEICI. Je suis sortie de là avec l'impression que des fantômes du passé m'avaient retrouvée de l'autre côté de l'océan.

Après avoir passé les 36 premières années de ma vie en Pologne — un pays communiste à l'époque —, j'ai toujours été un peu paranoïaque et allergique à tout ce qui, de près ou de loin, peut ressembler au collectivisme, et ce jour-là, j'étais convaincue que ce n'était rien d'autre que cette même idéologie sous une nouvelle couverture. Elle me semblait peut-être encore plus dangereuse, car elle était déguisée en courant pédagogique d'avant-garde et visait les jeunes. C'était surtout l'idée d'interdépendance qui sonnait l'alarme dans ma tête.

J'ai donc décidé de m'intéresser à la pédagogie de la coopération pour la démasquer et… j'ai eu la surprise de ma vie. J'ai d'abord compris que je n'avais rien compris. Mon Dieu, quel soulagement !

Depuis, je découvre cette approche unique basée sur l'autonomie, la participation, le respect et la communication, approche qui nous protège du risque de la routine et qui est presque faite sur mesure pour une orthophoniste en intervention de groupe.

Entre-temps, j'ai reçu une très belle lettre d'invitation pour venir « coopérer » à l'école Aquarelle. J'ai alors eu la chance de mettre en pratique tout ce que j'avais appris en voulant dénoncer la pédagogie de la coopération qui un jour m'était apparue comme une ennemie.

Un dicton polonais dit que si on veut vaincre un ennemi, il faut commencer par le connaître. Mon aventure coopérative m'a fait comprendre que cette phrase a un sens beaucoup plus profond que je n'aurais jamais soupçonné.

TERESA WALENTA

PETIT À PETIT

Quelles sont les émotions que j'éprouverais si je me retrouvais seule sur une île déserte ? Au cégep, un professeur de philosophie nous avait demandé une réflexion personnelle à ce sujet. Je m'en rappelle assez clairement parce que cela avait entraîné de nombreuses remises en question. Ainsi, est-il préférable, pour notre survie émotive, d'être plutôt individualiste ou collectiviste ? Est-il acceptable de percevoir la solitude comme un gouffre, un vide difficile à gérer ou est-ce que cela implique un sens de l'identité mal défini ? Au fil des années et de l'expérience, je réalise que même si nous sommes toujours finalement seuls, il est plus agréable à mon avis, de se retrouver seul avec d'autres.

Pendant mon adolescence, je me disais que me souvenir des épreuves vécues et des injustices ressenties m'aiderait à mieux comprendre mes enfants si j'en avais un jour. Je n'en ai pas encore, mais je me souviens… de certains sentiments encore diffus, d'ambiances, d'atmosphères que je commence à peine à démystifier. Je me souviens de l'envie d'agir concrètement, de changer un peu le monde, de susciter, dans les limites du possible, certains éveils de conscience.

Dans le cadre de ma formation en psychologie, ce sont les expériences pratiques et les simulations comme faire semblant d'être aveugle… qui ont laissé leurs empreintes. Elles m'ont permis de mieux comprendre l'importance de notions telles l'empathie, l'introspection et l'acceptation.

Une fois qualifiée comme orthopédagogue, j'ai envisagé d'enseigner en Afrique ou en Haïti pour me retrouver non pas en Chine mais plutôt à Lachine (Québec), en cheminement particulier. C'est alors que ma bulle protectrice a commencé à avoir des trous. Les élèves en adaptation scolaire sont parfois durs et peu motivés. Les préoccupations sociales et affectives prennent plus de place que celles d'ordre académique.

C'était ma première année, j'avais l'air d'une adolescente et je nourrissais une peur (fondée) de ne pas maîtriser mon groupe. J'ai donc essayé de trouver des façons inattendues de les intéresser et de temps à autre, j'y parvenais. À mon insu, je faisais appel à des habiletés propres à l'approche coopérative qui permettaient le développement du désir et la capacité de l'élève à poser des questions ainsi que celui d'attitudes favorisant l'analyse critique.

Petit à petit, j'ai acquis plus d'assurance et alors qu'avant je tremblais à l'idée de déléguer certaines responsabilités aux élèves et à l'idée de les encourager à s'exprimer davantage, j'en réalise maintenant toute l'importance.

La pédagogie de la coopération permet de concilier apprentissage et interactions de façon stimulante et originale. Il y a le contenu, mais aussi la forme et le mode de présentation, et j'observe que les élèves apprennent facilement et même avec plaisir les uns des autres.

La solidarité, l'entraide et l'engagement représentent des valeurs qui me semblent essentielles à l'épanouissement de chacun. L'approche coopérative qui entraîne une véritable interdépendance positive entre les élèves ainsi qu'une responsabilité individuelle et collective me convient particulièrement. J'ai toujours cru avec ferveur que l'être humain sait bénéficier d'une communication active et d'une saine dynamique de groupe basée sur le respect et la tolérance, et j'ai constaté ne pas être seule à penser ainsi.

GENEVIÈVE ROBERT

CE FUT LE DÉCLIC !

Ma rencontre avec la pédagogie de la coopération est le fruit de plusieurs circonstances. Pendant toute la durée de mes études en enseignement de l'éducation physique, je me suis battue pour défendre l'idée d'une activité physique source de plaisir et accessible à tous. Adepte du sport de masse, je me suis retrouvée dans un milieu ultra-compétitif où nous devions tous performer alors même que notre profession exigerait d'initier chaque enfant, qu'il soit naturellement habile ou non. Je souhaitais m'adresser à *tous* les enfants et participer au développement du potentiel moteur de chacun d'entre eux, quel que soit leur niveau de performance. Mais là où l'on nous enseignait que les sports devaient être un moyen au service de l'éducation physique, je constatais qu'ils étaient rapidement devenus un but en soi.

À la fin de mes études, je suis venue m'installer au Québec et c'est avec plaisir que j'y ai découvert des programmes d'éducation physique réellement fondés sur le développement global des habiletés motrices et où les sports sont des moyens parmi tant d'autres (même si certains enseignants mettent les sports au premier plan). C'est à ce moment-là que j'ai commencé des recherches sur les jeux coopératifs. Je voulais introduire dans ma pratique d'enseignement des activités physiques où chaque enfant pouvait s'investir intensément, quel que soit son niveau d'habileté. Je trouvais inconcevable qu'un ou une enfant puisse ne pas avoir de plaisir à bouger. Et déplacées les remarques sur la prétendue incompétence de certains d'entre eux. La compétition était trop présente et je cherchais à la remplacer par des activités qui favoriseraient l'entraide et la solidarité, des activités où les notions de « perdant » et de « gagnant » disparaîtraient au profit du plaisir partagé par tous. Je commençais à avoir quelques pistes très intéressantes lorsque je fus convoquée à une entrevue pour un poste de spécialiste à l'école Aquarelle.

Ce fut le déclic. J'entendais pour la première fois parler de pédagogie de la coopération et j'avais l'impression de découvrir ce que je cherchais depuis si longtemps. Je m'apercevais que d'autres enseignants s'étaient déjà engagés dans cette voie et qu'ils avaient développé une certaine expertise dont je pourrais bénéficier. Je me suis donc plongée avec délice dans cette belle aventure, admirablement soutenue par des enseignants plus chevronnés. Je ne nie pas toutes les embûches que j'ai rencontrées, car il faut bien avouer que lorsqu'on choisit la pédagogie de la coopération on ne s'engage pas sur la voie la plus facile. Personnellement, je trouve que cette pédagogie est beaucoup plus exigeante qu'un enseignement magistral, mais tellement plus gratifiante pour les élèves et pour moi-même, que le surplus de travail qu'elle génère en vaut vraiment la peine.

Après deux ans de pratique avec des groupes multiples et variés, je suis vraiment convaincue de la légitimité d'une telle pédagogie dans le milieu scolaire et… plus encore, de son adéquation avec ma personnalité d'enseignante. Aujourd'hui, je vous invite à plonger vous aussi et, si cette aventure vous convient, à faire beaucoup d'heureux parmi les élèves.

CATHERINE LEBOSSÉ

QU'EST-CE QUI M'A AMENÉE À LA PÉDAGOGIE
DE LA COOPÉRATION ?

En grandissant (j'aime mieux dire « grandir » que « vieillir »), je me rends compte que j'aime composer ma vie et mes défis avec une dose de solitude et une dose de travail d'équipe. L'échange de points de vue, le choc des idées, les remises en question, les doutes et la communication stimulent ma pensée et ma créativité tout en animant mes émotions.

Lorsque je regarde en arrière, je crois que les expériences d'apprentissage qui ont été signifiantes pour moi étaient souvent des expériences de groupe : conseil étudiant, expéditions en forêt, stages, voyages, comités de travail, etc. Ces expériences m'ont appris à vivre, à composer avec ma solitude, avec les différents caractères des gens côtoyés. À travers ces expériences, j'ai compris que les succès comme les échecs se célèbrent ou se pleurent «mieux» lorsqu'ils sont partagés. J'ai aussi compris que lorsque les forces individuelles s'additionnent, une synergie non soupçonnée peut se créer, des projets de grande ampleur sont possibles.

Ma rencontre avec la pédagogie de la coopération a suivi : des amis et des collègues de travail qui s'y intéressaient m'en ont parlé, mon engagement dans le dossier «environnement» m'a fait comprendre que la coopération était nécessaire pour la survie des êtres comme de la nature et des rencontres au CEICI m'ont également influencée dans cette direction. De plus, l'isolement ressenti dans mon travail m'a poussée à rechercher une approche qui crée des ponts, une approche qui «rapproche».

Après coup, je me rends compte que je crois aux valeurs que cette pédagogie véhicule : respect, partage, tolérance, démocratie, responsabilité. J'en tire profit en tant qu'individu puisque la coopération me fournit des outils de travail utiles pour l'animation de réunions, pour la réalisation de projets dans un climat d'entraide. En tant que conseillère pédagogique, j'ai souvent à promouvoir de nouvelles idées, à favoriser le changement, à intégrer l'innovation. Les fondements de la coopération m'alimentent alors grandement dans mes réflexions et mes actions. En tant que pédagogue, la coopération dirige mes interventions et m'aide à rendre les jeunes plus autonomes et plus actifs face au défi de l'apprentissage et aux défis du monde.

En tant que mère, j'espère que la coopération prendra une plus grande place dans notre société pour le bien-être de tous les enfants.

CAROLE MORELLI

MA RENCONTRE AVEC LA PÉDAGOGIE DE LA COOPÉRATION

Il y a quelques années, la pédagogie de la coopération me fut présentée sous la forme d'une invitation faite par une conseillère pédagogique à participer à des rencontres avec un groupe de pédagogues. Jusqu'à ce jour, le travail d'équipe avait toujours été un moyen que je privilégiais pour stimuler les jeunes. Le fait d'avoir la possibilité d'apprendre à gérer ce type de travail me ravissait particulièrement. De plus, l'apprentissage de nouvelles tendances pédagogiques s'inscrivait bien dans mon plan de perfectionnement.

Dès la première rencontre, je fus surprise de découvrir que je faisais déjà de la coopération, j'en reconnaissais l'esprit. En effet, dans cette pédagogie, je retrouvais les valeurs coopératives : le respect, l'écoute de l'autre et la tolérance qui faisaient partie de mes préoccupations d'enseignante. De toutes ces années d'expérience, du secondaire au primaire, du programme-cadre en français de la fin des années 60 à l'intégration des matières des années 90, se dégagent des pratiques et des orientations constantes. D'abord, le travail d'équipe a toujours été pour moi un moyen de capter l'intérêt des jeunes, de les garder «accrochés», de diversifier mes approches pédagogiques et de créer un climat d'échange dans la classe. Puis, ma vision du rôle de l'école englobe à la fois la transmission du savoir académique et celle du savoir être, du savoir-faire en tenant compte du bien-être affectif du jeune.

Au cours de ces rencontres, à travers mes lectures et mes expériences, la pédagogie de la coopération m'est apparue comme un moyen d'encadrer mon esprit créateur et d'unifier mes pratiques. La structure coopérative, loin d'être étouffante, se présente comme un support à mon organisation pédagogique. En effet, chaque geste pédagogique se situe dans un cadre et un ordre permettant ainsi des apprentissages plus cohérents. Les moyens proposés par ce type de pédagogie sont rassurants et efficaces. Les élèves sont alors armés de moyens concrets, de stratégies pour améliorer leur travail en équipe et pour développer leur habileté à coopérer.

Après avoir reçu cette formation et avoir expérimenté à plusieurs reprises des activités coopératives dans ma classe, j'ai constaté une nette amélioration du climat et de la productivité du travail effectué en équipe. L'habileté des élèves à gérer leur travail de façon plus autonome a favorisé la qualité et l'efficacité des travaux d'équipe dans le respect des différences. Ces observations m'ont donné le goût de partager mes découvertes avec mes collègues. Depuis quelques années, j'anime avec une conseillère pédagogique des sessions de formation à l'intention des enseignantes et des enseignants du primaire et du secondaire. J'ai constaté que la pédagogie de la coopération brise l'isolement, ravive le feu sacré parfois étouffé par la routine quotidienne. Rapidement, les enseignantes et les enseignants découvrent que la pédagogie de la coopération fait appel à des valeurs présentes dans leur vie, à leurs connaissances et à leurs pratiques antérieures. Comme c'est rassurant de penser qu'il ne faut pas tout recommencer à zéro !

Bref, le succès ne repose pas exclusivement sur le charisme de l'enseignante ou de l'enseignant, mais aussi sur des approches pédagogiques variées et des stratégies d'enseignement que chacune ou chacun privilégie selon ses objectifs et sa personnalité. Pour la gestion du travail d'équipe, la pédagogie de la coopération est un moyen qui transmet des valeurs sûres et qui présente des outils facilitant la vie en société. À la veille de l'an 2000, l'école ne peut ignorer le fait qu'elle doit former des citoyens responsables, démocrates et habiles à coopérer. Tout en s'enrichissant des différences des autres, le jeune apprend à les reconnaître, à les partager et à les respecter. Pour toutes ces raisons, je continue à utiliser la pédagogie de la coopération dans ma classe et à évoluer avec mes élèves et les professionnels de l'enseignement.

BIBIANE LACHANCE

LA PÉDAGOGIE DE LA COOPÉRATION, POURQUOI ?

Il tient probablement à mon origine et à l'histoire récente du peuple allemand que, pour moi, la première finalité de l'éducation est celle qui a été formulée par Théodore W. Adorno : « La première exigence à laquelle doit répondre l'éducation est celle-ci : qu'il n'y ait plus jamais d'autre Auschwitz. » Devant la constatation troublante que les cerveaux, les fonctionnaires et les tortionnaires du régime criminel nazi étaient des gens extrêmement performants, brillants, disciplinés et obéissants mais dépourvus de jugement moral, de pensée critique, de courage civique, d'empathie, de sens de solidarité et de respect des droits humains, il m'a toujours semblé évident que l'éducation devait viser le développement intégral de la personne et inclure l'éducation aux valeurs, aux droits humains, à la paix, à la démocratie, etc.

Au fur et à mesure que je cherchais à traduire ces préoccupations fondamentales en gestes pédagogiques dans le cadre de mon enseignement quotidien, je découvrais qu'une pédagogie interactive, participative, expérientielle et centrée sur l'enfant, visant le développement des attitudes et des habiletés sociales autant que des habiletés intellectuelles, était nécessaire si je voulais que ma façon de « faire la classe » soit cohérente avec les contenus que je voulais promouvoir et avec mon souci de permettre un véritable transfert des apprentissages qui me tenaient le plus à cœur.

La pédagogie de la coopération, dont j'ai connu les rudiments dans le cadre de mon questionnement sur l'intégration des élèves d'origines diverses dans nos écoles et dans notre société, représente pour moi bien plus qu'un ensemble de stratégies ou de techniques efficaces pour permettre l'entraide, le travail d'équipe pour atteindre des buts communs et le développement des habiletés sociales, de communication et de résolution de problèmes. C'est en même temps un esprit qui règne dans la classe, une façon d'être et une manière de vivre, au jour le jour ; ces valeurs et ces attitudes permettent à mon action professionnelle d'être cohérente avec mes convictions profondes.

MONIKA THOMAS-PETIT

LA PÉDAGOGIE DE LA COOPÉRATION, UNE AUTRE ÉTAPE DE MON LONG CHEMINEMENT

Après avoir passé quatre ans comme enseignante dans le système scolaire traditionnel, j'ai été conduite par un concours de circonstances dans une petite école privée de campagne où j'ai travaillé avec une équipe à implanter la pédagogie de Célestin Freinet.

La pratique hebdomadaire du conseil de coopération que nous appelions à cette époque « La coopérative », l'apprentissage du français écrit par le « Texte libre », la production continue d'un « Journal scolaire », la « Correspondance interscolaire », toutes ces techniques favorisaient la coopération qui faisait partie du vécu quotidien de la classe et de l'école.

Après quelques années, revenue dans la grande ville comme directrice d'une école primaire, la proximité de l'Université de Montréal a favorisé ma participation à différentes recherches en didactique.

Plus tard, déléguée par le MEQ, j'ai participé à une mission franco-québécoise sur la prospective et l'innovation en éducation. La visite de plusieurs écoles et centres de formation de maîtres dans divers pays a favorisé ma réflexion dans les domaines pédagogiques et didactiques et, surtout, en éducation au sens large du terme.

Au retour, j'ai fondé avec mon collègue Charles Caouette la première école alternative au Québec basée sur le concept d'éducation permanente : une école « Milieu de vie » qui introduisait le pluralisme dans le système scolaire public. La pédagogie de projets, centrée sur les besoins de l'enfant, commandait souvent le travail en équipe. Arrivée dans un milieu multiethnique, le terrain était préparé pour comprendre et m'ouvrir à la pédagogie de la coopération et à la philosophie qu'elle sous-tend, telle qu'entendue dans ce livre.

DENISE GAUDET

GRÂCE À LA COOPÉRATION, ENFIN LE SOCIAL ET LE COGNITIF SE REJOIGNENT EN ÉDUCATION

La coopération en éducation est la passerelle qui relie les processus sociaux et les processus cognitifs qui sont impliqués dans tout apprentissage. C'est d'abord pour cette raison que je suis venu à m'y intéresser après avoir, pendant plusieurs années, étudié et enseigné la psychologie des processus cognitifs de l'apprentissage d'un côté et la psychologie des interactions sociales de l'autre, comme s'il s'agissait de deux ensembles de processus sans liens réels entre eux. Sans aucunement négliger ses autres apports à l'éducation, la coopération apporte à mes yeux une stimulation de l'activité cognitive qu'il est pratiquement impossible d'obtenir par d'autres moyens. Rien n'est plus fascinant que les interactions entre de jeunes élèves qui se questionnent les uns les autres, qui s'obligent à expliquer ou à justifier leurs idées, qui savent rendre féconds leurs désaccords en reconsidérant les idées ou les solutions auxquelles ils arrivent souvent trop vite, sans avoir pris le temps de bien considérer tous les aspects d'un problème ou d'une tâche à réaliser. Lorsqu'ils travaillent en coopération, les jeunes révèlent des capacités insoupçonnées qui peuvent se manifester vraiment parce qu'ils sentent qu'ils ont la confiance d'un adulte qui, tout en soutenant leurs efforts, leur donne aussi l'occasion d'être responsables d'eux-mêmes, autant de leurs interactions sociales que de leurs initiatives dans la réalisation d'une tâche. Si la coopération en éducation peut donner un élan neuf à l'éducation primaire et secondaire, elle est aussi une ressource essentielle pour l'enseignement supérieur où, trop souvent, l'interaction entre étudiants autour des connaissances étudiées est absente. En plus, lorsqu'ils ont l'occasion de travailler en équipe, les étudiants y sont laissés à eux-mêmes pour s'organiser. Le travail d'équipe structuré suivant les principes de la coopération se révèle à coup sûr plus intéressant et plus stimulant pour eux, ce qui est vrai aussi pour les professeurs qui ajoutent à leur rôle de dispensateurs des connaissances celui de guides d'étudiants autonomes qui réalisent par eux-mêmes leurs apprentissages.

MICHEL PAGÉ

TOUJOURS EN MOUVEMENT

Je me suis d'abord intéressée à la pédagogie de la coopération en tant que psychologue en milieu scolaire pluriethnique. J'avais remarqué une tendance à favoriser des relations positives entre les jeunes en mettant l'accent sur leur origine ethnique. Dans cette optique, les échanges dits interculturels visaient surtout une certaine connaissance des autres cultures, laquelle se limitait souvent à la nourriture et au folklore, et les activités s'inscrivaient souvent à l'extérieur du programme régulier. Je trouvais ces échanges plutôt artificiels.

Je me demandais comment l'école pouvait, de la façon la plus naturelle possible, favoriser des relations positives entre jeunes d'origines ethniques différentes, sans mettre l'accent sur celle-ci mais sans nier non plus les différences qui, selon moi, peuvent surgir naturellement, dans différentes situations, qu'elles soient liées ou non à leur culture. C'est à ce moment que je me suis intéressée à la pédagogie de la coopération, parce qu'elle favorise l'amélioration des échanges sociaux entre les jeunes, en contexte d'apprentissage scolaire, tout en favorisant l'apprentissage de la langue française; c'est une approche qui s'intègre au quotidien des élèves, ce qui est très important.

Si ces objectifs sont toujours présents, je m'intéresse de plus en plus, avec cette approche, aux objectifs liés aux apprentissages scolaires et au développement des habiletés cognitives. Souvent, les approches qui visent le développement cognitif ou l'acquisition de stratégies cognitives ne mettent l'accent que sur la médiation entre l'enseignant et le jeune et passent sous silence la médiation entre les pairs; pourtant, les deux types de médiation me semblent complémentaires et essentiels.

Je m'aperçois aussi que devant des problématiques particulières, le milieu scolaire a souvent tendance à réagir par des projets spéciaux au lieu de repenser sa pédagogie et son quotidien dans la classe et dans l'école. Je pense que le recours à la pédagogie de la coopération en classe pourrait aider les jeunes à développer naturellement, dans leur quotidien, des habiletés sociales; présentement, on met en place des habiletés sociales; or on observe des problèmes de transfert, parce qu'on ne fait pas nécessairement de lien avec ce qui se vit réellement en dehors de ces périodes. Peut-être aussi qu'un milieu de vie axé sur l'entraide plutôt que sur la compétition donnerait à certains jeunes le goût de vivre et de rester à l'école au lieu de décrocher.

Même si la pédagogie de la coopération me semble une avenue intéressante, je me rends compte qu'elle n'est pas une recette-miracle à tous les problèmes et qu'il n'est pas toujours facile pour les enseignants de l'appliquer. Il y a le danger de mettre l'accent sur l'aspect technique de l'organisation du travail et d'oublier le principal, l'esprit de la coopération. L'apprentissage en coopération est souvent présenté comme une réponse à l'hétérogénéité des groupes-classes, comme si les élèves pouvaient réaliser ce qui est si difficile à atteindre par les enseignants: s'assurer que tous apprennent, malgré des acquis, des besoins et des façons d'apprendre différents. La réponse à l'hétérogénéité des classes ne réside-t-elle pas aussi dans le travail en coopération des enseignants, avec le décloisonnement des groupes-classes pour former, provisoirement, des groupes aux besoins plus homogènes? Ne serait-ce pas une façon d'augmenter les possibilités que tous apprennent, en dépit de besoins différents? Peut-on limiter notre réflexion à la classe, sans remettre en quotidien la vie au sein de l'école, avec tous les problèmes organisationnels et les changements de mentalité que cela suppose? Voilà où j'en suis maintenant!

DIANE JACQUES

Table des matières

INTRODUCTION

Introduction

Dans cette partie, nous n'exposons pas les fondements scientifiques produits par la recherche des trente dernières années sur les effets de la pratique de la coopération en apprentissage et les facteurs qui en assurent la réussite. Les lecteurs trouveront cette information dans d'excellents ouvrages publiés au cours des dernières années [1]. Nous présentons plutôt *notre* conception de la coopération en apprentissage scolaire.

Définir notre conception de cette approche pédagogique oblige à préciser d'abord les caractéristiques de la coopération. Premièrement, nous distinguons l'apprentissage en coopération *vs* le travail individuel et le travail d'équipe traditionnel. Deuxièmement, nous montrons que la coopération peut se prêter à tous les objectifs d'apprentissage courants imposés par les programmes scolaires, qu'il s'agisse des objectifs définis par des connaissances à acquérir ou des objectifs reliés au développement d'habiletés, de la créativité, de l'autonomie et de l'initiative. Troisièmement, nous abordons des questions concrètes qui se posent lorsqu'on utilise l'approche de la coopération dans un contexte scolaire habituel. Quatrièmement, nous présentons diverses raisons qui soutiennent que la pratique de la coopération a des incidences positives en éducation.

La coopération et les autres formes d'organisation de l'apprentissage en classe

La caractéristique distinctive de la coopération apparaît clairement lorsqu'on compare cette forme particulière d'organisation de l'apprentissage aux autres formes plus courantes. Il s'agit essentiellement de la relation étroite que l'apprentissage en coopération établit entre l'apprentissage scolaire et le développement de relations sociales positives. Dans ce type d'apprentissage, une certaine qualité des interactions entre les élèves est en effet garante de succès.

Le travail individuel

Dans la situation habituelle de travail individuel, l'apprentissage scolaire est le seul but valorisé, car chaque élève travaille en fonction d'un but individuel sous la supervision directe de l'enseignante. Seul, le succès scolaire individuel est valorisé. Pendant les leçons, les interactions entre élèves sont pratiquement absentes sinon interdites, car les élèves n'ont d'interaction qu'avec l'enseignante. On fait peu pour atténuer les différences individuelles en ce qui a trait à leur capacité intellectuelle; les élèves sont laissés à eux-mêmes et reçoivent l'aide de l'enseignante selon sa disponibilité. Les interactions entre élèves ayant comme but d'aider surviennent de façon sporadique et elles ne sont pas planifiées.

---

1. P. ABRAMI, et coll. *L'apprentissage coopératif. Théories, méthodes, activités*, Montréal, Les Éditions de la Chenelière, 1996.
   E. COHEN, *Le travail de groupe. Stratégies d'enseignement pour la classe hétérogène*, Montréal, Les Éditions de la Chenelière, 1994.

Dans ce contexte, les objectifs de développement social sont tout à fait différents de ceux qui sont visés dans la coopération. Les comportements valorisés sont alors la docilité face à l'autorité, le recours à l'autorité en cas de conflit, une disposition à se comporter en groupe sans déranger les autres. Les élèves travaillent chacun pour soi, ils apprennent à n'être responsables que d'eux-mêmes et leur rapport aux autres en est un de compétition où l'autre est une rivale ou un rival à dépasser. Les individus ont peu d'occasions d'avoir des rapports entre eux en classe ; ces rapports ont surtout lieu en dehors de la classe, lors de la pratique des sports d'équipe, par exemple.

Le travail d'équipe traditionnel

L'apprentissage en coopération se distingue aussi du travail d'équipe traditionnel. L'expression « travail en équipe » désigne des formules d'organisation du travail en classe impliquant une interaction plus ou moins organisée entre les élèves à propos d'une tâche à accomplir. Par exemple, on considère que des élèves travaillent en équipe lorsqu'ils effectuent individuellement des exercices et qui, de temps en temps, se parlent, se disent où ils en sont rendus et comparent leurs réponses. Il en est de même lorsque chacune ou chacun effectue de son côté une partie d'une tâche collective, sans trop se préoccuper des autres et en ayant comme principale ambition d'être celui ou celle dont la contribution sera la plus remarquée. En pédagogie de style « atelier », on favorise évidemment le travail d'équipe, mais les élèves sont peu éduqués à faire équipe de façon harmonieuse et efficace. Dans ce cas, les équipes sont le plus souvent composées de deux élèves qui se choisissent l'un l'autre par affinité.

L'apprentissage en coopération *vs* le travail d'équipe traditionnel

Au contraire du travail d'équipe traditionnel, l'apprentissage en coopération exploite une grande variété de formules permettant de planifier le déroulement de l'interaction entre les élèves, la répartition de la tâche, l'agencement des contributions de chacun des membres d'une équipe. La recherche sur la pratique de la coopération menée sur plusieurs sites a permis de déceler cinq conditions communes à la majorité des cas. La mise en place de ces conditions se fait sous la direction de l'enseignante. Plus loin, nous démontrons comment ces cinq conditions sont satisfaites dans une grande variété d'activités.

La définition de la coopération en éducation que nous proposons ici résume les conditions essentielles qui constituent les caractéristiques de base de cette forme d'apprentissage : La coopération en éducation est une forme d'organisation de l'apprentissage qui permet à des petits groupes hétérogènes d'élèves d'atteindre des buts d'apprentissage communs en s'appuyant sur une interdépendance qui implique une pleine participation de chacune et chacun à la tâche. Comme l'exprime cette définition, l'interdépendance des élèves formant une équipe de coopération constitue une caractéristique essentielle et les cinq conditions qui doivent être satisfaites visent essentiellement à favoriser l'interdépendance.

Atteindre un but commun

On doit proposer aux équipes un but commun que les élèves doivent atteindre *ensemble*. Un but commun constitue un défi stimulant auquel tous les membres d'une équipe contribuent, ce qui en fait un moyen important pour créer l'interdépendance des membres d'une équipe.

Favoriser l'interdépendance

On doit exploiter toutes sortes de moyens qui se présentent dans le contexte d'une tâche réalisée en équipe pour obliger les élèves à agir en interdépendance. Le plus souvent, il s'agit du *partage*, que ce soit celui du matériel ou des responsabilités pour le bon fonctionnement de l'équipe.

Dans les activités où des rôles sont confiés aux membres d'une équipe, ces rôles visent à favoriser l'interdépendance : que ce soit la facilitateur, le responsable du matériel, l'harmonisateur, la scripteuse, le messager, tous ces rôles et d'autres encore, qui sont définis dans la fiche explicative sur les rôles confiés aux élèves, fixent la contribution de chacune et de chacun au fonctionnement d'une équipe dont les membres sont liés entre eux par l'interdépendance. La structure d'une activité qui règle l'interaction entre les membres d'une équipe de façon à assurer que chaque élève participe à la tâche favorise également l'interdépendance.

Exiger l'entraide

On doit exiger l'entraide, norme première de toute activité de coopération. Il importe que les élèves se sentent parfaitement à l'aise de demander de l'aide au besoin et qu'ils acceptent d'aider toute ou tout partenaire qui en a besoin. Les élèves qui s'encouragent mutuellement à fournir un véritable effort satisfont d'une autre manière l'obligation d'entraide.

Accepter les différences

On doit accepter les différences, une équipe de travail coopératif étant inévitablement composée d'élèves qui sont différents par leurs capacités, leur caractère et leurs intérêts. L'interdépendance n'est possible que si les élèves acceptent cette hétérogénéité de la composition des équipes. Cette condition est sans doute celle qui est la plus difficile à satisfaire. C'est pourquoi la composition des équipes est une opération que l'enseignante doit mener minutieusement, en cherchant à placer ensemble des élèves qui peuvent le mieux se compléter ou travailler ensemble.

Or, quel que soit le soin qu'on apporte à la composition des équipes, ce n'est pas seulement la sélection des élèves qui peut satisfaire cette condition. En fait, il faut constamment stimuler les élèves afin qu'ils acceptent les autres comme partenaires. Ainsi, les différences de capacité ne doivent empêcher aucun membre de l'équipe de participer pleinement à la tâche en cours. L'acceptation de l'hétérogénéité fait appel à des qualités dont le développement constitue un idéal à atteindre tous les jours. Les comportements qui favorisent l'interdépendance dans un tel contexte sont exigés et valorisés : respect mutuel, sens du partage, intérêt pour l'apport des autres, acceptation de hauts standards de performance.

Responsabiliser l'élève

Enfin, chaque membre doit se sentir individuellement responsable de la réussite de l'équipe, dans son fonctionnement et dans l'accomplissement de la tâche. La responsabilité individuelle n'est pas seulement tournée vers la réussite de l'équipe ; chacune ou chacun est aussi responsable de sa propre réussite personnelle.

L'autonomie dans l'apprentissage coopératif

On comprend toute l'importance de ces conditions lorsqu'on prend dûment note que l'apprentissage en coopération détermine d'une façon tout à fait particulière les rapports d'une enseignante à son groupe d'élèves et les rapports sociaux entre les élèves. En effet, cette forme d'organisation des groupes confie aux élèves une marge certaine d'autonomie dans leur apprentissage. L'ampleur de cette marge d'autonomie varie selon l'âge des élèves, leur expérience du travail en coopération et les objectifs à atteindre dans l'étude de la matière scolaire.

En général, c'est l'enseignante qui fixe l'objectif d'apprentissage, conformément au programme d'études ; elle fournit le matériel approprié, aide les élèves à trouver l'information et les outils dont ils ont besoin pour accomplir leur tâche et prévoit les grandes étapes de la démarche à suivre. Les élèves, quant à eux, assument une part plus ou moins grande du déroulement de l'activité d'apprentissage. Lorsqu'ils en sont à leurs débuts dans le travail d'équipe coopératif, le déroulement de l'activité est en général planifié de près. L'activité se déroule selon une structure qui facilite la coordination du travail.

Lorsque les élèves sont suffisamment entraînés, ils peuvent assumer une plus grande marge d'autonomie dans le déroulement de l'activité : ils décident comment ils vont atteindre l'objectif proposé, quelle part de la tâche chaque élève va accomplir. Ils doivent aussi s'entendre sur la route à suivre en discutant de leurs divergences pour parvenir à choisir une voie commune ; ils règlent eux-mêmes leurs conflits d'intérêts ou de personnalité. Dans un tel cas, l'enseignante exerce une supervision attentive mais discrète, afin d'évaluer si les équipes s'acquittent de leurs tâches. Ce sont toutefois les élèves qui règlent par eux-mêmes le déroulement des échanges qui leur permettent de réaliser leur objectif.

Quel que soit le degré d'autonomie laissé aux élèves, la délégation de responsabilités aux élèves est la caractéristique la plus générale et la plus importante d'une situation d'apprentissage en coopération. Les élèves ne sont pas laissés à eux-mêmes pour autant. Lorsqu'ils doivent assumer par eux-mêmes une bonne part de la régulation de leur fonctionnement en équipe, l'enseignante doit vérifier que chacun accomplit le rôle qui lui a été attribué. Est-ce que chaque élève sait comment jouer ce rôle ? Les autres acceptent-ils qu'elle ou il joue ce rôle ? Pour préciser sur quoi porte cette observation, il faut connaître ces rôles et anticiper les difficultés qui peuvent survenir dans leur accomplissement. Soulignons que les élèves ont besoin de savoir s'organiser et de gérer leur fonctionnement afin de profiter de l'autonomie qui leur est accordée.

La planification de l'activité par l'enseignante, qui comporte une organisation du déroulement de l'activité selon une formule qui suscite l'interdépendance, contribue beaucoup à l'autonomie des élèves. Toutefois, il faut également que les élèves soient capables de régler leur fonctionnement pour accomplir la tâche dans le temps accordé. En outre, ils doivent être en mesure de régler des problèmes qui peuvent survenir dans leur interaction : des conflits interpersonnels, la non-participation de certains membres. Enfin, l'ordre doit être maintenu dans la classe : les élèves ne s'y déplacent pas à tout moment, ils n'ont pas tous en même temps le besoin de parler à l'enseignante, ils rangent le matériel qu'ils ont utilisé, etc.

En somme, les élèves n'obéissent pas seulement à des directives de l'enseignante au fur et à mesure que l'activité se déroule. Ils doivent aussi déterminer par eux-mêmes comment régler le déroulement de l'activité, comment solutionner les conflits et comment maintenir l'ordre nécessaire dans la classe.

L'enseignante est également appelée à intervenir auprès des équipes afin de corriger ou d'améliorer leur production. Ses interventions visent principalement deux types de difficultés. Le premier type concerne le manque de savoir-faire des élèves dans la réalisation de la tâche. Il est facile d'observer ce type de difficulté et de le corriger. On ne doit pas laisser perdre du temps à l'équipe qui n'a pas bien compris la tâche. L'enseignante peut remettre les élèves en piste en posant des questions appropriées.

Le second type de difficulté est plus difficile à définir. Lorsqu'un groupe se contente d'un travail superficiel ou négligé, l'enseignante peut poser des questions qui stimulent l'équipe à produire un travail de meilleure qualité. Ce sont surtout des questions stimulantes plutôt que des directives, qui aident le groupe à aller plus loin dans son travail, à améliorer ce qui a été fait, à approfondir la réflexion afin d'augmenter la qualité de la réalisation.

La coopération appliquée à deux types d'apprentissage scolaire

Il est utile de distinguer deux types d'apprentissage scolaire, car la nature de l'interaction entre les élèves qui exécutent une tâche en équipe varie selon le type d'apprentissage.

Les apprentissages exacts

Dans les apprentissages exacts, les élèves doivent comprendre et emmagasiner des connaissances précises. Par exemple, mentionnons l'apprentissage des noms d'objets, de lieux, des dates liées à des événements, des ingrédients contenus dans telle ou telle substance, des événements historiques, etc. Dans tous ces cas, une seule information est bonne et elle ne peut être inventée ; elle doit plutôt être trouvée dans une source appropriée. Ce type d'apprentissage ne se limite pas à des connaissances notionnelles. Il comprend aussi les connaissances procédurales, c'est-à-dire les habiletés qui permettent de résoudre des problèmes, la façon d'opérer pour parvenir à un résultat visé, la marche à suivre efficace pour exécuter des mouvements ou pour utiliser un instrument, etc. Que ce soit des connaissances ou des habiletés, elles sont généralement données par l'enseignement direct de l'enseignante ou par une source documentaire.

En apprenant ces connaissances ou ces habiletés, les élèves prennent possession d'un savoir accumulé sur le monde. On attend d'eux qu'ils emmagasinent cette information : qu'ils mémorisent les faits, les noms, les définitions et qu'ils soient capables de les activer en mémoire lorsqu'il faut nommer les objets, les lieux, dire le sens des mots, etc., et qu'ils enregistrent toutes les étapes d'une procédure pour être capables de la reproduire dans les conditions où elle s'applique. Par exemple, une règle de grammaire exige l'apprentissage de connaissances et d'habiletés. On doit d'abord connaître les différentes façons de marquer le pluriel des noms et savoir ensuite dans quel cas on les applique.

Les apprentissages ouverts

Dans les apprentissages ouverts, il faut savoir modifier une façon de faire selon les circonstances, apprendre à juger une action selon différents critères (l'efficacité, l'éthique, etc.), évaluer la meilleure action ou la meilleure façon de procéder en tenant compte de conditions variables. Dans ce type d'apprentissage, plusieurs réponses sont possibles et aucune n'est absolument sûre au point d'éliminer toutes les autres. Aussi, plusieurs façons de procéder peuvent s'avérer aussi bonnes l'une que l'autre pour parvenir à découvrir ce qui est recherché. Dans tous ces cas, il faut apprendre par essais et erreurs, comme lorsqu'on parvient à comprendre le fonctionnement d'un appareil en faisant varier les conditions de son utilisation par des manipulations successives.

On dit généralement de ce type d'apprentissage qu'il fait appel à la créativité. On ne doit pas nécessairement toujours inventer des idées, mais on doit être capable d'observer les réalités sous différents angles, de les imaginer dans différentes conditions et de prévoir les conséquences selon telle ou telle condition. La créativité renvoie souvent à la flexibilité, c'est-à-dire à la capacité de regarder les choses sous divers angles, de concevoir différentes façons de s'y prendre pour arriver à un résultat.

Les apprentissages exacts *vs* les apprentissages ouverts

Apprendre les noms de différentes substances qui composent un produit est un apprentissage de connaissances exactes. Apprendre à combiner différentes substances en suivant la recette préétablie qui conduit à un résultat déterminé est aussi l'apprentissage d'une procédure exacte. Par contre, repérer les substances qui entrent dans la composition d'un produit et dresser la liste de ces substances font partie d'un apprentissage ouvert lorsqu'il faut, pour parvenir à ce résultat, émettre des hypothèses sur les substances qui sont susceptibles d'être présentes et trouver un moyen sûr de vérifier si elles entrent effectivement dans la composition du produit.

Dans un apprentissage ouvert, on se sert de connaissances exactes qu'on a emmagasinées, comme les noms de substances, le fonctionnement d'instruments, ainsi que des procédures qu'on connaît et qui peuvent servir aux manipulations requises. Il faut, de plus, raisonner sur la matière, construire des hypothèses et les vérifier, se tromper et s'en rendre compte pour modifier sa façon de faire, arriver à des réponses différentes ayant chacune un degré de certitude, etc.

Dans ce type d'apprentissage, on apprend à penser, à examiner les choses sous différents angles, à retrouver dans une série d'opérations que l'on a faites celle qui est la cause d'une erreur dans les résultats, etc. Or, le résultat auquel on parvient n'est pas nécessairement incertain et flou. En somme, on ne suit pas une recette en appliquant une marche à suivre qui conduit à un résultat, mais on doit faire des choix parmi différentes façons de faire, évaluer à mesure ce qu'on fait, essayer de prévoir ou d'anticiper un résultat, changer sa façon de faire lorsqu'on s'aperçoit qu'on ne va pas dans la bonne direction, aller consulter au moment où c'est nécessaire et déterminer quelle information nous manque.

Le fait de comparer deux types d'apprentissage ne doit pas conduire à discréditer l'un au profit de l'autre. De ceux qui valorisent les apprentissages ouverts, certains vont volontiers discréditer les apprentissages exacts. D'autres qui préfèrent les apprentissages exacts que l'on maîtrise bien du début jusqu'à la fin vont s'éloigner des apprentissages ouverts. Or, nous voulons plutôt souligner que l'on peut apprendre de deux façons, qui sont sans doute nécessaires l'une et l'autre. Il faut, d'une part, être disposé et capable de s'approprier les connaissances pour elles-mêmes sans plus et, d'autre part, d'évaluer l'utilité des connaissances acquises, et de savoir les transformer lorsqu'elles s'avèrent insuffisantes. Dans toutes les matières scolaires, les deux types d'apprentissage sont possibles. Dans les faits toutefois, on peut être porté à privilégier l'«emmagasinage» de connaissances exactes sur les réalités, aux dépens de la pratique consistant à interroger les connaissances pour comprendre les réalités, ce qui est le propre de l'apprentissage ouvert.

Les interactions dans les apprentissages exacts

Selon le type d'apprentissage, les interactions entre les élèves diffèrent à cause des exigences propres à chacune et à chacun. On doit donc veiller à ce que l'interaction soit celle qui permet aux élèves d'accomplir leur tâche le mieux possible.

Dans les apprentissages exacts, l'interaction entre les élèves qui coopèrent peut se limiter à mettre à l'épreuve leur capacité de répéter les connaissances qui leur ont été enseignées. Mentionnons les situations où les élèves apprennent ensemble des listes de mots ou de règles, ou encore révisent ensemble un matériel constitué de questions/réponses en vue de préparer un examen. Lors d'une situation d'apprentissage plus complexe, l'entraide fait appel à une autre forme d'interaction. Dans la résolution d'un problème mathématique, l'élève qui maîtrise bien la marche à suivre va montrer à une ou un autre qui est moins habile à s'en servir. Toutefois, il s'agit encore d'aider l'élève à acquérir une procédure de solution exacte.

Dans ce type d'apprentissage, la coopération permet aux élèves de mettre à l'épreuve leurs connaissances. Aussi, plus ils pratiquent l'étude d'une matière en équipe, plus ils courent la chance d'obtenir du succès. Une des plus anciennes lois de la psychologie de l'apprentissage n'est-elle pas de «jouer» en équipe à se poser des questions pour passer en revue une matière à apprendre? Dans un pareil contexte, les élèves sont souvent plus motivés à apprendre que lorsqu'ils sont laissés seuls, à fournir plus d'efforts, à répéter plusieurs fois la même réponse. La coopération crée une stimulation qui augmente l'effet de la pratique, facteur qui peut vraiment faire la différence comparativement à la compréhension qui joue un moindre rôle.

En apprenant ensemble, les élèves peuvent s'entraider de diverses façons. Ceux qui ne possèdent pas une information ont plus de chances de la recevoir d'une ou d'un autre que s'ils sont laissés à eux-mêmes. L'élève qui commet une erreur dans l'application d'une marche à suivre ou qui connaît mal une procédure a plus de chances de se faire corriger lorsqu'elle ou il travaille en équipe que lorsqu'elle ou il travaille individuellement. Certains élèves peuvent mettre au point des trucs mnémotechniques qu'ils communiquent aux autres ou des méthodes de vérification. Dans une situation de coopération, ceux qui ne possèdent pas l'information antérieure pour intégrer de l'information nouvelle pourront poser des questions aux autres à ce sujet et combler leur manque d'information, alors qu'ils auront du mal à le faire tout seuls ou lors d'une séance d'enseignement collectif, où ils oseront rarement étaler leur ignorance.

En outre, le travail d'équipe en coopération rend les élèves plus actifs dans l'exploration du matériel à apprendre et dans la manipulation mentale de ce matériel, du fait que l'interaction qui en résulte a pour objet le matériel, c'est-à-dire les connaissances à apprendre. C'est par la planification d'un apprentissage exact qui doit se réaliser en coopération que l'on peut provoquer cette activité mentale. Il s'agit de ne pas limiter l'interaction à la répétition de la matière, à la vérification de l'exactitude des réponses. En plus de ces interactions peu élaborées qui favorisent l'enregistrement des connaissances, la tâche peut inciter les élèves à exercer leur activité mentale sur ces connaissances par toutes sortes de moyens: se rappeler des connaissances antérieures auxquelles les connaissances nouvelles doivent s'associer, échanger sur l'intérêt ou l'importance de ces connaissances pour eux, etc.

Les interactions dans les apprentissages ouverts

Une forme d'interaction plus limitée, comme celle qui se révèle efficace pour les apprentissages exacts, ne donne pas les résultats attendus lorsque l'apprentissage est ouvert et exige une forme d'interaction plus élaborée. Les élèves doivent alors discuter leur façon de procéder pour exécuter une tâche, arriver à une décision, se répartir le travail et discuter le contenu. L'activité intellectuelle peut être d'un niveau très élevé dans le travail sur le contenu. Par exemple, dans la recherche en équipe, ils ne reçoivent pas toute faite l'information utile à produire un travail, ils doivent plutôt la quérir par eux-mêmes dans diverses sources, ce qui exige qu'ils puissent choisir par eux-mêmes l'information pertinente, l'organiser et la synthétiser.

Dans les apprentissages ouverts, le profit de la coopération peut apparaître évident aux élèves eux-mêmes, car l'aide qu'ils s'apportent mutuellement est manifeste.

Aussi, la compétition est moins nécessaire pour stimuler le travail en équipe, ce qui n'exclut pas une forme d'émulation qui peut être suscitée par une exposition des travaux réalisés, une lecture publique des textes écrits par les équipes ou tout autre moyen. Dans ce cas, Cohen préconise une forme d'évaluation qui évite la notation en misant sur des stimulations de nature qualitative[2]. Celles-ci mettent mieux en évidence la qualité des productions.

L'utilisation de la coopération dans nos contextes scolaires

On peut recourir à la coopération tout le temps et dans toutes les matières, mais ces possibles se concrétisent très rarement dans nos contextes scolaires. Les auteurs du présent ouvrage l'utilisent dans certaines matières seulement. Dans des apprentissages exacts, cette approche stimule davantage les élèves et permet aux élèves plus lents de recevoir une aide qu'une enseignante ne peut pas toujours assurer à chacune ou à chacun d'eux. Ils se servent aussi de la coopération dans des situations d'apprentissage ouvert en classe. Quelques pistes de réflexion et de discussion sur ces différentes options sont présentées dans cette section.

La première option, celle d'utiliser la coopération dans toutes les matières et tout le temps, n'est praticable que dans de rares milieux. Selon certains, il n'est pas possible ni souhaitable que l'on fasse appel à la coopération tout le temps. Les élèves ne devraient pas perdre l'habitude de travailler seuls de temps à autre parce qu'ils en ont besoin. On peut aussi défendre à juste titre qu'il y a des tâches de production qui sont mieux accomplies individuellement, surtout lorsque l'expression personnelle prédomine. De même, on peut soutenir que, s'il est bon d'apprendre aux élèves plus forts à consacrer une part de leur temps à aider des élèves moins doués, il est important pour eux de se retrouver, de temps à autre, libres de toute responsabilité de ce genre pour fonctionner vraiment à leur rythme.

On émet très souvent un autre argument pour justifier de n'employer la coopération qu'une partie du temps. Il s'agit de considérations tout à fait pratiques, comme le temps. En effet, le temps qu'il faut consacrer à une partie du programme dans une matière est toujours un peu plus long lorsqu'on fait appel au travail d'équipe en coopération. On peut alors décider de n'y recourir qu'à certaines étapes prévues dans la séquence d'apprentissage et de couvrir la plus grande partie de la matière selon la méthode traditionnelle. Toutefois, il ne faut pas exagérer la portée de l'argument voulant que la coopération prenne toujours plus de temps. Ce n'est pas une règle générale.

Il est certain qu'une enseignante qui utilise la coopération avec des élèves qui n'y ont jamais été initiés devra consacrer du temps à les entraîner ; les élèves ne deviennent efficaces que progressivement, par la pratique. Pendant la période d'initiation, qui dure parfois plusieurs mois, il est vrai que l'apprentissage en coopération prend plus de temps. Mais pensons aussi à des élèves qui ont commencé à recevoir un bon entraînement à la coopération dès les premiers degrés scolaires : s'ils ont développé adéquatement leurs habiletés sociales, ils connaissent bien les rôles

---

2. E.-G. COHEN, *Le travail de groupe. Stratégies d'enseignement pour la classe hétérogène*, Montréal, Les Éditions de la Chenelière inc., 1994.

qu'ils doivent jouer pour assurer le fonctionnement des équipes, ils savent organiser leur travail et résoudre les conflits sociaux. Il n'est pas du tout certain que l'objection basée sur le temps soit valable dans ce cas.

De plus, les élèves qu'on initie à la coopération doivent avoir régulièrement l'occasion de la mettre en œuvre. Cette régularité leur permettra de devenir autonomes plus rapidement et de pouvoir profiter de la coopération dans toutes les formes d'apprentissage. Un usage occasionnel de la coopération allonge non seulement la période d'initiation, mais démotive également les élèves tout en ne permettant pas à l'enseignante de se faire la main. Dans ces conditions, la coopération risque d'être pratiquée de moins en moins souvent, voire plus du tout.

Lorsque les élèves ont achevé un cycle d'initiation à la coopération, on peut alors utiliser cette approche dans certaines tâches d'apprentissage ouvert, par exemple dans certaines parties d'une matière scolaire qui s'y prêtent mieux parce qu'elles font appel à une recherche qui peut avantageusement être effectuée en équipe. On peut aussi l'employer dans les apprentissages exacts, particulièrement dans les parties de la matière qui s'avèrent toujours, année après année, plus difficiles pour les élèves moins doués. Dans ce cas, la coopération n'allonge pas indûment le temps qu'il faut consacrer aux apprentissages.

Un usage de la coopération qui vise précisément à introduire un peu plus de situations d'apprentissage ouvert en classe est une position fort défendable. Les partisans de cette option sont d'ailleurs d'avis que la coopération ne donne réellement tous ses effets que dans les apprentissages ouverts. Comme le temps que l'on peut consacrer à ces apprentissages est limité, d'une part, et que les occasions offertes par les programmes scolaires sont plutôt rares, d'autre part, on préfère avoir recours à la coopération seulement de temps en temps, dans des activités dûment sélectionnées pour initier les enfants aux apprentissages ouverts.

Dans les situations les plus courantes, la coopération est donc utilisée sur une base régulière, plusieurs fois dans la semaine, dans certaines matières seulement ou dans chacune des matières. Les élèves qui ont l'occasion de pratiquer ainsi la coopération se retrouvent aussi, à d'autres moments, dans une situation individuelle d'apprentissage. Ces mêmes élèves peuvent se retrouver également en présence d'une autre enseignante qui ne préconise que l'apprentissage individuel en stimulant les élèves par la compétition. C'est de toute évidence ce qui risque d'arriver lorsque les élèves changent de degré scolaire dans une école où une partie seulement du personnel pratique la pédagogie de la coopération. Que faut-il penser de l'exposition des élèves à ce double régime ?

La coopération *vs* la compétition

Dans notre système scolaire, l'idéologie favorisant la compétition est dominante. Elle a tous les promoteurs dont elle peut avoir besoin. Ce sont ceux qui favorisent la coopération qui se trouvent en minorité. Le fait de rencontrer dans son périple scolaire un ou des enseignants qui adhèrent aux valeurs de la coopération constitue une chance pour les élèves. Ils ont par là la possibilité d'expérimenter la coopération, d'apprendre à agir comme il se doit quand on exige d'eux des comportements de coopération. Deviendront-ils des chauds partisans de cette forme de rapport social dans le travail ou les loisirs ? La rejetteront-ils pour grossir les rangs des promoteurs de la compétition ? Personne ne doit décider à l'avance à leur place.

Peu importe le choix qu'ils feront, ceux qui ont eu l'occasion de pratiquer les deux formes de rapport social ont un avantage important sur ceux qui n'ont connu que la compétition. Leur expérience scolaire en est nécessairement enrichie. S'ils conservent une préférence pour les situations de compétition, ils sont néanmoins capables de comprendre ceux qui adhèrent plutôt à la coopération. Plusieurs d'entre eux peuvent vouloir conserver la capacité d'agir dans les deux situations parce qu'ils considèrent que la vie actuelle requiert les deux compétences.

La richesse d'une telle expérience risque toutefois d'être compromise si le personnel d'une même école entretient une guerre larvée opposant ceux qui défendent avec trop de zèle les valeurs de la coopération à ceux qui n'accordent d'importance qu'à celles de la compétition. Ce prosélytisme se trouve aussi bien chez ceux qui organisent leur classe sur un système de compétition et de récompense rigide et constant que chez ceux qui repoussent toute forme de reconnaissance du mérite individuel.

On doit souhaiter que les élèves rencontrent des personnes qui savent travailler en harmonie même si elles ont des conceptions opposées sur les bienfaits de la compétition ou de la coopération. Le modèle de vie donné par des adultes qui savent se montrer capables de coexister et même de coopérer malgré des valeurs différentes, qui sont par ailleurs également légitimes, est certainement meilleur que celui offert par des adultes qui s'opposent les uns aux autres avec fanatisme.

Les incidences positives de la coopération en éducation

Les objectifs éducatifs issus de la coopération sont très variés et ses adeptes n'invoquent pas tous les mêmes pour expliquer leur intérêt ou pour justifier l'implantation de la coopération dans leur milieu.

D'abord, les gens qui s'intéressent à la coopération observent que, dans des conditions favorables, l'interaction dans les activités d'apprentissage en coopération accroît l'engagement des participants. Dans de telles situations, ils sont davantage responsables de ce qu'ils ont à faire, ils doivent s'organiser, et dans la réalisation de la tâche, ils doivent confronter leurs points de vue, leurs façons de faire, afin d'arriver à la meilleure réalisation possible.

La situation de coopération a donc un effet sur le plan de la motivation et sur le plan cognitif. Ainsi, les élèves peuvent atteindre leur but personnel seulement si l'équipe réussit la tâche ; ils sont donc portés à s'entraider pour assurer la réussite du groupe et à s'encourager à fournir le maximum d'efforts. Dans ces mêmes situations, les membres qui fournissent de meilleurs efforts, qui sont assidus et qui aident les autres sont appréciés et félicités. Les participants sont davantage portés à se donner des niveaux de réussite scolaire élevés.

Sur le plan cognitif, les recherches montrent que l'interaction stimule l'activité cognitive dans l'apprentissage de concepts complexes : les participants s'instruisent les uns les autres par la discussion, les conflits cognitifs surgissent plus nombreux à cause de la variété des points de vue, les raisonnements inadéquats se font corriger. Selon les théories cognitives de l'apprentissage, l'information nouvelle est d'autant mieux intégrée en mémoire que le sujet s'engage dans une restructuration ou élaboration de son savoir antérieur. En coopération, les individus sont amenés à assimiler de l'information et à la reformuler à l'intention des autres. Cette condition idéale favorise l'intégration en mémoire. Tous les participants en profitent dans la mesure où ils ont tous l'occasion de s'engager de cette façon dans la tâche. Il importe donc d'éviter les situations où un individu s'impose aux autres en assumant seul le travail d'élaboration de l'information ; la division du travail, la participation à tour de rôle et la valorisation de la responsabilité individuelle sont trois moyens de les prévenir.

Ensuite, la coopération met en place des structures sociales qui influent sur l'établissement de relations sociales harmonieuses entre les personnes appartenant à des communautés différentes. Ayant l'expérience du travail en coopération avec des compagnons de classe de diverses origines ethniques, les élèves considèrent davantage les qualités personnelles que l'appartenance ethnique dans leurs relations sociales. On obtient ce résultat grâce aux effets de la coopération sur l'identité sociale.

Ainsi, dans la mesure où on offre des occasions d'expérimenter l'interdépendance, l'expérience de la coopération peut favoriser l'éclosion d'une identité commune chez des individus qui se situent naturellement dans des catégories sociales distinctes, notamment des catégories ethniques. Ces occasions font partie de la vie scolaire commune puisqu'elles sont vécues dans des apprentissages de matières scolaires qui sont d'intérêt commun, indépendamment des cultures ethniques particulières auxquelles les individus appartiennent par ailleurs.

Les mathématiques, les sciences, une langue commune, même les œuvres littéraires sont des réalités dont l'apprentissage constitue pour tous des buts communs favorisant l'intégration à des ensembles sociaux qui surpassent les appartenances particulières. C'est ainsi que les élèves peuvent acquérir une identité sociale qui les rassemble au lieu de les diviser en groupes distincts. Pour accepter la diversité, il faut en effet devenir capable de considérer les personnes qui sont membres d'autres catégories sociales comme membres d'une même catégorie commune.

De plus, la coopération en éducation est considérée par plusieurs comme une forme d'éducation dont les finalités coïncident avec les exigences de la vie dans une société démocratique pluraliste. La pratique de la coopération en éducation reproduit en effet les conditions essentielles de la vie en démocratie moderne. Les élèves y apprennent en effet à assumer une bonne marge d'autonomie face à l'enseignante. C'est l'esprit même de la coopération que de rendre les élèves responsables d'eux-mêmes, car en favorisant l'activité des élèves dans leur apprentissage, la coopération contribue à les rendre coresponsables de la construction de leur savoir. Pour ce faire, les élèves apprennent à assumer des rôles sociaux par lesquels ils apprennent à être responsables d'eux-mêmes et de leur environnement social, ce qu'on exige des citoyens au sein d'une démocratie pluraliste.

La dimension de l'égalité inhérente à la démocratie est présente dans la coopération, car rien ne peut fonctionner si on ne cherche pas à obtenir que les élèves se considèrent égaux. Ils ne se considèrent pas nécessairement de capacité égale, mais ils ont un droit égal de participer à la tâche et d'apprendre.

Enfin, les conflits, les oppositions et la diversité des points de vue constituent la trame de fond de la coopération comme de la vie démocratique. C'en est aussi la force, car elle oblige à régler les conflits entre pairs. La capacité à dialoguer, c'est-à-dire à coconstruire avec d'autres des aménagements sociaux qui favorisent le respect des différences, est une disposition qui se développe par la coopération et qui est par ailleurs essentielle dans une société pluraliste.

Pour toutes ces raisons, la pratique de la coopération en apprentissage n'apparaît pas seulement comme une solution possible à des problèmes d'organisation des groupes d'apprentissage et aux inégalités de rythme d'apprentissage des élèves dans les contextes hétérogènes. Tout en contribuant à pallier ces problèmes, elle introduit une expérience qui peut constituer, par elle-même, un apprentissage social dont le bénéfice pour la vie en société peut être fort positif.

Comment tirer profit des activités

Chacune des activités qui suivent est précédée d'une grille synthèse qui permet d'en saisir tous les aspects en un coup d'œil. La grille témoin présentée à la page suivante illustre l'utilité d'un tel outil.

Nous présentons par la suite un tableau synthèse qui vous permettra de consulter puis de choisir une activité en fonction du niveau scolaire et de la matière appliquée.

Grille témoin

Matière: (matières principales auxquelles se réfèrent les objectifs principaux reliés au programme d'études)

Degré: (1er ou 2e cycle du primaire ou du secondaire)

Équipes de ____ élèves: (nombre d'élèves par équipe) (11)

Formation des équipes: comment les équipes sont formées (13) (exemple: par l'enseignante, au hasard, par les élèves selon leurs intérêts, etc.)

Expérience en coopération: 1 - 2 - 3 - 4*

Temps prévu: nombre approximatif de minutes prévu pour réaliser l'activité

Mode d'interaction: le ou les modes d'interaction à l'intérieur des équipes et entre les équipes, s'il y a lieu (6-7-8)

Activité de climat: activité préalable pour favoriser un climat positif au sein de l'équipe (3)

Objectifs reliés au programme d'études

Objectifs qui se réfèrent aux objectifs généraux du programme, mais qui sont suffisamment adaptés à l'activité pour la comprendre.

Objectifs reliés à la coopération
(comportements, habiletés sociales)   (4-5)

a) à consolider (que les élèves possèdent déjà);
b) à développer (que cette activité devrait développer).

Principaux comportements ou habiletés coopératives nécessaires pour réaliser l'activité.

Interdépendance positive

But commun   (9)

Établissement du but commun à l'intérieur des équipes et, s'il y a lieu, pour l'ensemble de la classe.

Autres moyens   (10)

Autres moyens utilisés pour assurer l'interdépendance positive.

Responsabilités individuelles   (12)

Moyens utilisés pour assurer la responsabilité individuelle dans cette activité.

Matériel et ressources

Matériel et ressources nécessaires pour l'enseignante, pour l'ensemble de la classe, pour chaque équipe et pour chaque élève.

Évaluation

a) des objectifs reliés au programme d'études (14);
b) des objectifs reliés à la coopération (15).

Moyens utilisés pour évaluer, immédiatement après l'activité, ses objectifs; cette évaluation peut être individuelle ou collective (en équipe ou en groupe classe) / qualitative ou quantitative / formative ou sommative.

* Expérience requise en coopération par les élèves pour réaliser l'activité selon une échelle de 1 à 4.
  1. Aucune expérience
  2. Un peu
  3. Passablement
  4. Beaucoup

Note: Chaque numéro correspond à une fiche explicative, présentée dans la troisième partie, à la page 161.

Tableau synthèse des activités

ACTIVITÉS

Mon portfolio

Matière: arts plastiques
Degré: Ire à 6e année du primaire
Équipes de: 2 élèves
Formation des équipes: au hasard

Expérience en coopération: ❶ – 2 – 3 – 4
Temps prévu: environ 80 minutes
Mode d'interaction: Penser / Regrouper
par deux / Partager
Activité de climat: Continuum

Objectif relié au programme d'études

– Amener les élèves à:
  • représenter des objets, des activités, des personnes familières, etc.;
  • organiser un espace à deux dimensions en exploitant des matériaux variés;
  • parler de son image (sa réalisation).

Objectifs reliés à la coopération
(comportements, habiletés sociales)

– À consolider:
  • s'entraider;
  • partager les ressources;
  • ranger le matériel;
  • parler à voix basse.

  – À développer:
    • pratiquer l'écoute active.

Interdépendance positive

Buts communs

– Permettre à chacun de se présenter;
– Apprendre à connaître les autres élèves.

Autres moyens

– Partage des ressources matérielles (matériel restreint);
– Organisation spatiale.

Matériel et ressources

– Par élève:
  • I carton Mayfair (60 cm × 90 cm).

– Pour la classe:
  • ciseaux;
  • colle;
  • laine;
  • crayons feutres;
  • pastels gras;
  • crayons de cire;
  • crayons à mine;
  • papiers de couleur;
  • retailles de papier construction.

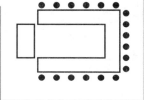

Responsabilité individuelle

– Assumer la tâche:
  • expliquer à son partenaire ce que l'on veut dessiner;
  • raconter ce que l'on a dessiné;
  • écouter ce que le partenaire dit et le rapporter fidèlement.

Rétroaction

– Évaluation des objectifs reliés au programme d'études:
  • évaluation individuelle de chaque portfolio par l'enseignante.

– Évaluation des objectifs reliés à la coopération:
  • individuelle lors de la présentation en séance plénière;
  • en groupe lors de la rétroaction.

CONTEXTE	Cette activité a été construite pour le premier cours de l'année. Par conséquent, nous l'avons fait précéder d'une activité de climat dont l'objectif principal était d'apprendre le prénom de chaque élève dans un contexte de coopération.
PRÉPARATION	Réunissez le matériel nécessaire et préparez le local en fonction de l'activité.

DÉROULEMENT

Présentation aux élèves et réalisation de l'activité

1. Formez des équipes de deux, au hasard, en utilisant, par exemple, l'activité « Continuum ».
2. Annoncez aux élèves que, pendant la période, chacune ou chacun va fabriquer un portfolio personnalisé pour ranger et transporter ses productions d'arts plastiques. Pour stimuler
   l'imagination, une activité coopérative est proposée aux élèves.
3. Expliquez la tâche.
   Chaque élève doit d'abord penser à trois choses qu'il ou elle aime beaucoup. Puis l'élève se tourne vers son partenaire ou sa partenaire pour lui en parler. Ensuite ils échangent les rôles.
4. Précisez les comportements attendus et la durée de l'activité.
5. Supervisez le travail des équipes.
6. Une fois ces étapes franchies, expliquez aux élèves la réalisation individuelle du portfolio.
   Le carton sera plié en deux dans le sens de la largeur. D'un côté apparaîtra le nom de l'élève écrit d'une façon originale et occupant tout l'espace de la feuille. De l'autre côté, un dessin représentera les choses que l'élève aime le plus.
7. Précisez le matériel requis et la façon de se déplacer pour le prendre et le partager avec ses voisins.
8. Supervisez le travail individuel des élèves.
9. Par la suite, demandez à chaque élève d'échanger son portfolio avec son voisin ou sa voisine et de lui raconter ce que représente son dessin.
10. Chaque élève, devant le groupe-classe, présente ce que son ou sa partenaire a dessiné et, au besoin, l'élève qui a fait le dessin complète la description.

RÉTROACTION

Évaluation des objectifs reliés au programme d'études	Évaluation des objectifs reliés à la coopération
• Qu'avez-vous appris de nouveau de votre partenaire ? • Qu'y a-t-il de semblable et de différent entre les portfolios des élèves ?	• Qu'avez-vous fait pour écouter votre partenaire ? • Comment avez-vous fait pour faire savoir à votre partenaire que vous l'avez écouté ?

J'apprends à faire de la pâte à sel

Matière: arts plastiques
Degré: 4ᵉ-5ᵉ-6ᵉ année du primaire
Équipes de: 3 élèves
Formation des équipes: par l'enseignante

Expérience en coopération: 1 – ❷ – 3 – 4
Temps prévu: environ 60 minutes
Mode d'interaction: petits groupes hétéro-
gènes régis par des rôles

Objectifs reliés au programme d'études

- Français:
  • compréhension des consignes.

- Mathématiques:
  • mesures de 0,5 cm;
  • épaisseur, largeur, longueur.

- Arts plastiques:
  • travail en aplat;
  • couleur.

Objectifs reliés à la coopération
(comportements, habiletés sociales)

- À consolider:
  • parler à voix basse;
  • rester dans son équipe;
  • prendre soin du matériel.

- À développer:
  • assumer son rôle;
  • s'entraider.

Responsabilité individuelle

- Assumer la tâche:
  • jouer son rôle;
  • aider ses partenaires;
  • participer activement;

- Adopter le mode
  d'interaction.

Interdépendance positive

Buts communs

- Fabriquer de la pâte à sel;

- Réaliser ensemble un
  jeu de dominos.

Autres moyens

- Partage des ressources
  matérielles (matériel
  restreint);

- Organisation spatiale.

Matériel et ressources

- Par équipe:
  • 1 feuille de consignes;
  • 1 saladier, 1 couteau, 1 règle graduée, 1 tasse à mesurer;
  • 1 rouleau (exemple: manche à balai);
  • 1 feuille d'aluminium (50 cm × 50 cm environ);
  • 1 pot de gouache (couleur différente pour chaque équipe);
  • 1 languette gabarit (*voir la feuille reproductible ci-jointe*);
  • colle à papier peint diluée;
  • sel fin;
  • farine.

- Par élève:
  • 1 «Fiche Recette».

Rétroaction

- Évaluation des objectifs reliés au programme d'études:
  • formative et qualitative en séance plénière.

- Évaluation des objectifs reliés à la coopération:
  • formative et qualitative en séance plénière.

Réunissez le matériel nécessaire et préparez le local en fonction de l'activité.

Présentation aux élèves et réalisation de l'activité

1. Disposez les équipes de trois préalablement formées (en tenant compte des habiletés et des affinités de chaque élève).
2. Annoncez aux élèves que, pendant la période, chaque équipe va participer à la fabrication d'un ou de plusieurs jeux de dominos pour la classe. Pour cela, chaque équipe doit d'abord réaliser une recette de pâte à sel.

   Note : Les chiffres à inscrire dans les parenthèses ( ), sur la recette, sont calculés selon le nombre d'équipes pour un total d'au moins 29 dominos (nombre nécessaire pour un jeu complet). On peut également réaliser plusieurs jeux !

3. Expliquez la tâche.

   En équipe de trois, les élèves doivent réaliser une recette de pâte à sel. Insistez sur le fait que chacun ou chacune a un rôle précis à assumer en plus d'aider ses coéquipiers.
4. Précisez les comportements attendus et la durée de l'activité.
5. Supervisez le travail des équipes.

Évaluation des objectifs reliés au programme d'études	Évaluation des objectifs reliés à la coopération
• Comment avez-vous fait pour mesurer l'épaisseur de la pâte ? • Quelles difficultés avez-vous rencontrées dans les mesures ? • Comment les avez-vous résolues ? • Quelle stratégie avez-vous utilisée pour étaler votre pâte à sel ?	• Lequel des comportements attendus a-t-il été bien réussi par l'équipe ? • Lequel a été le plus difficile à respecter ? Savez-vous pourquoi ? • Que pouvez-vous changer pour améliorer le travail de votre équipe ?

Une fois secs, les dominos devront être peints (au moins les points) puis vernis.

Les boules de pâte à sel, colorées par chacune des équipes, servent de matériel de base pour une production collective ou individuelle en arts plastiques. (Elles se travaillent comme de la pâte à modeler. On doit en faire un usage unique, les faire sécher à l'air et les vernir.)

J'apprends à faire de la pâte à sel

Si vous avez une question à laquelle aucun membre de votre équipe ne peut répondre, le lecteur ou la lectrice lève la main pour demander l'aide de l'enseignante.

LECTEUR OU LECTRICE : _____ lit la feuille de consignes et colore la pâte.

CUISINIER OU CUISINIÈRE : _____ mélange les ingrédients.

ARTISAN OU ARTISANE : _____ réalise le jeu de dominos.

■ Fabrication de la pâte à sel

– Mettre dans le saladier :
  • 2 tasses de farine ;
  • 1 tasse de sel ;
  • 1 tasse de colle liquide.

– Mélanger pour obtenir une boule.
– Chaque membre du groupe doit pétrir la pâte 20 fois.

■ Fabrication des dominos

– Diviser la pâte en deux boules égales et mettre une boule de côté.
– Placer l'autre boule sur la feuille d'aluminium en lui donnant une épaisseur d'un demi-centimètre (0,5 cm).
– Poser la languette bleue sur la pâte et découper ( ) bandes.
– Avec le couteau, découper chacune des bandes de pâte tous les 4 centimètres.
– Le travail est terminé quand il y a ( ) petits rectangles identiques.

Mélanger les restes de pâte avec l'autre boule.

■ Coloration de la pâte

– Faire un creux dans le milieu de la boule.
– Verser 3 gouttes de peinture dans le creux.
– Mélanger jusqu'à ce que la boule de pâte à sel soit toute colorée.

Maintenant, félicitez-vous, vous avez réussi l'activité !
Seriez-vous capable de refaire de la pâte à sel sans vos camarades ?

BRAVO !

Fiche Recette

Je note la recette de la pâte à sel que je viens de réaliser en équipe.

Ingrédients	Quantité
_____	_____
_____	_____
_____	_____

Réalisation

1. _____
   _____
   _____
   _____

2. _____
   _____
   _____
   _____

3. _____
   _____
   _____
   _____

Languettes-gabarits

Reproduire sur une feuille cartonnée bleue et distribuer un gabarit par équipe.

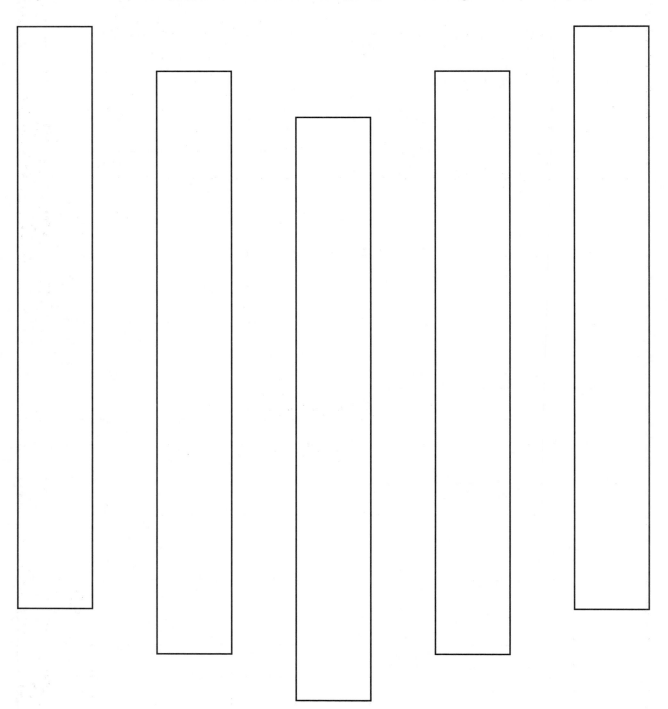

Figures de style

Matière : éducation physique
Degré : 1re à 6e année du primaire
Équipes de : 4 élèves
Formation des équipes : par l'enseignante

Expérience en coopération : 1 – ❷ – 3 – 4
Temps prévu : environ 80 minutes
Mode d'interaction : petits groupes
hétérogènes

Objectif relié au programme d'études

– Mettre au point différents types de déplacements en maîtrisant leur exécution et leur liaison (rotation, déplacement, saut, équilibre) :
  • effectuer des déplacements variés en maîtrisant les différentes parties de son corps ;
  • enchaîner plusieurs mouvements en maîtrisant leur exécution et leur liaison ;
  • adopter des positions d'équilibre.

Objectifs reliés à la coopération
(comportements, habiletés sociales)

– À consolider :
  • s'entraider ;
  • parler à voix basse ;
  • rester dans son équipe.

– À développer :
  • donner ses idées ;
  • pratiquer l'écoute active.

Responsabilité individuelle

– Assumer la tâche :
  • expérimenter différents déplacements ;
  • participer activement à la tâche en proposant des éléments ;
  • choisir les quatre éléments de l'exécution finale.

Interdépendance positive

Buts communs

– En équipe, réaliser un enchaînement où l'on retrouve :
  • un équilibre ;
  • un déplacement ;
  • un saut ;
  • une rotation.

– Chaque membre de l'équipe doit proposer un des éléments.

Autres moyens

– Partage des ressources matérielles (matériel commun) ;
– Organisation spatiale.

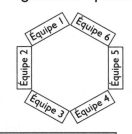

Rétroaction

– Évaluation des objectifs reliés au programme d'études :
  • sommative en sous-groupe.

– Évaluation des objectifs reliés à la coopération :
  • formative et qualitative en assemblée plénière.

Matériel et ressources

– Par équipe :
  • 1 tapis de gymnastique ;
  • 1 feuille « Enchaînement ».

– Par paire :
  • 1 « Fiche d'évaluation par un pair ».

Cette période a été précédée d'une séance complète où les différentes équipes ont expérimenté de façon systématique toutes les possibilités en matière d'équilibre, de déplacement, de saut et de rotation.

Réunissez le matériel nécessaire et préparez le local en fonction de l'activité.

Présentation aux élèves et réalisation de l'activité

1. Formez des équipes de quatre, au hasard, en utilisant, par exemple, des casse-tête.
2. Annoncez aux élèves que, durant la période, chaque équipe va réaliser un enchaînement (suite de figures liées entre elles) dans lequel on devra retrouver un équilibre, un déplacement, une rotation et un saut.
3. Expliquez la tâche

   Chaque élève doit proposer un exemple de chacune des figures exigées. Les autres membres de l'équipe doivent essayer de la reproduire (sur le tapis). Une fois que les membres ont expérimenté toutes les figures, ils choisissent quatre éléments pour l'enchaînement qu'ils vont présenter. Enfin, tous les membres de l'équipe doivent pratiquer cet enchaînement.
4. Précisez les comportements attendus et la durée de l'activité en trois étapes : expérimentation, choix et pratique.
   – Équilibre tenu en cinq secondes ;
   – rotation sans perte d'équilibre ;
   – saut dont la réception est maîtrisée ;
   – déplacement original et maîtrisé ;
   – enchaînement fluide, sans hésitation.
5. Supervisez le travail des équipes.
6. Demandez à chaque équipe de présenter son enchaînement à tour de rôle. Évaluez chaque élève qui, par la suite, sera évalué par un pair.

   Les élèves d'une équipe sont jumelés (deux à deux) avec les élèves d'une autre équipe. Ces élèves s'évaluent mutuellement en remplissant la « Fiche d'évaluation par un pair », préalablement expliquée par l'enseignante.

Évaluation des objectifs reliés au programme d'études	Évaluation des objectifs reliés à la coopération
• Quels éléments avez-vous trouvés ?	• Comment avez-vous fait pour exprimer vos idées ?
• Avez-vous choisi les plus difficiles ?	• Quelles sont les difficultés que vous avez rencontrées pour choisir les quatre éléments finaux ?
• Quel est l'élément qui vous a posé le plus de difficultés ?	
• Comment avez-vous vérifié la réussite des critères ?	• Comment les avez-vous réglées ?

Enchaînement

L'enchaînement doit contenir :

– un équilibre ;	
– un déplacement ;	
– un saut ;	
– une rotation.	

Fiche d'évaluation par un pair

Nom de l'évaluatrice ou de l'évaluateur : _____

Nom de l'élève qu'on évalue : _____

Date : _____

• Je vérifie la présence et la qualité des quatre éléments dans l'enchaînement.
Je mets un √ dans les cases appropriées.

Éléments	présents
Équilibre	
Déplacement	
Rotation	
Saut	

	continu	1 légère hésitation	2 ou 3 hésitations
Enchaînement			

	sans ajustement	1 léger ajustement	2 ou 3 ajustements
Maîtrise			

C'est à moi !

Matière : enseignement moral
Degrés : 1re-2e année du primaire
Équipes de : 3 élèves
Formation des équipes : par l'enseignante

Expérience en coopération : ❶ – 2 – 3 – 4
Temps prévu : 2 périodes de 60 minutes
Mode d'interaction : chacun son tour (tâche 2)

Objectifs reliés au programme d'études

– Comprendre le sens du mot « coopération » ;

– Faire des messages clairs ;

– Reconnaître les avantages du partage et les inconvénients d'un refus de partager.

Objectifs reliés à la coopération (comportements, habiletés sociales)

– À consolider :
  • partager le matériel ;
  • parler à tour de rôle ;
  • demander l'accord des autres avant de faire une tâche ;
  • exprimer son accord ou son désaccord.

– À développer :
  • s'entraider.

Interdépendance positive

Buts communs

– Colorier ensemble les feuilles distribuées ;

– Placer les grenouilles sur le rocher.

Autres moyens

– Consensus exigé ;

– Partage des ressources matérielles (matériel partagé).

Matériel et ressources

– Pour la classe :
  • 1 exemplaire de Lionni LEO (1985). *C'est à moi*, Paris, L'École des loisirs, 29 pages.

– Pour chaque équipe :
  • 1 ensemble de cinq crayons de couleurs différentes ;
  • 1 foulard pour se bander les yeux ;
  • 1 paire de ciseaux ;
  • gomme à coller ;
  • 1 copie de chaque feuille reproductible.

Responsabilité individuelle

Adopter le mode d'interaction approprié.

Rétroaction

– Évaluation des objectifs reliés au programme d'études :
  • formative et qualitative en groupe-classe.

– Évaluation des objectifs reliés à la coopération :
  • observation par l'enseignante ;
  • rétroaction et échange lors de la réunion plénière.

– Réunissez le matériel nécessaire et préparez le local en fonction des besoins de l'activité.
– Formez des équipes de trois élèves.

Présentation aux élèves et réalisation de l'activité

1. Demandez aux élèves s'ils connaissent le sens du mot «coopération». Amenez-les à s'exprimer sur ce qu'ils comprennent.
2. Lisez l'histoire à haute voix à toute la classe*.
3. Échangez avec les enfants pour reconstituer l'histoire:
   – Que se passe-t-il au début de l'histoire?
   – Au milieu?
   – À la fin?
4. Poursuivez l'échange en explorant le thème du partage.
   a) Racontez des situations où vous avez déjà dit: «C'est à moi.» Demandez aux élèves si c'est facile de partager.
   b) Demandez aux élèves d'énumérer ce qui leur appartient exclusivement à la maison (exemple: brosse à dents, sous-vêtements, etc.); écrivez leurs réponses au tableau. Reposez la question pour ce qui est de l'école (cahiers, chaussures de course, etc.).
   c) Demandez aux élèves d'énumérer ce qu'ils peuvent partager à la maison comme à l'école.
5. Expliquez la première tâche.
   En équipes de trois, les élèves doivent colorier les trois grenouilles et l'île avec le rocher (*voir les feuilles reproductibles*). Avant de prendre un crayon et de colorier, chaque élève doit demander à ses partenaires s'ils sont d'accord avec son choix.
   – Couleurs suggérées:
     • vert (grenouilles);
     • bleu (ciel);
     • brun (rocher);
     • noir (pluie);
     • gris (nuage).

   Demandez aux élèves d'énumérer des phrases pour demander l'accord des autres:
   – Exemples: • Es-tu d'accord si je choisis le vert pour la grenouille?
                • Êtes-vous d'accord pour que je colore le ciel en bleu?

   Un membre par équipe peut se proposer pour découper les grenouilles une fois qu'elles sont coloriées, mais elle ou il doit demander l'accord des autres avant d'entreprendre cette tâche.
6. Supervisez le travail des équipes.
7. Expliquez la deuxième tâche. Attendez que le dessin soit colorié et les grenouilles, découpées. Les yeux bandés, une ou un élève par équipe prend une grenouille au recto de laquelle est fixé un morceau de gomme à coller. Ses deux partenaires doivent la ou le guider en parlant à tour de rôle pour placer la grenouille sur le rocher. Une fois le collage réussi, c'est au tour d'une autre personne.

---

* Dans cette histoire, trois grenouilles se disputent et cherchent à s'approprier différents éléments de la nature. «C'est à moi.», dira l'une, «Non, c'est à moi.», dira l'autre. Une rencontre avec un crapaud aidera nos trois amies à découvrir le partage.

Évaluation des objectifs reliés au programme d'études	Évaluation des objectifs reliés à la coopération
• Qu'est-ce que vous retenez de l'histoire ? • Quels sont les avantages du partage ? • Quels sont les messages qui vous ont le plus aidé ? • Quelles difficultés avez-vous rencontrées lorsque vous avez essayé de guider l'élève qui voulait coller la grenouille sur le rocher ?	• Est-ce que chaque membre de l'équipe a bien participé ? • Qu'est-ce qui vous fait dire cela ? • Avez-vous été capables de parler à tour de rôle ? • Avant d'exécuter une tâche, avez-vous toujours demandé l'accord des autres ? • Avez-vous reçu de l'aide ? • En avez-vous donné ?

Colorie les grenouilles!

L'île aux Grenouilles

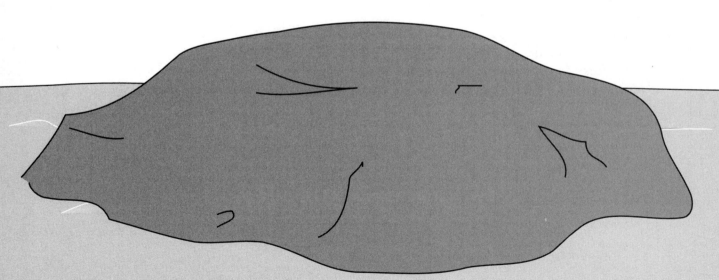

Les métiers et les professions

Matière : enseignement moral, FPS.
Degré : 2e cycle du primaire
Équipes de : 4 élèves
Formation des équipes : au hasard

Expérience en coopération : ❶ – 2 – 3 – 4
Temps prévu : environ 60 minutes
Mode d'interaction : tour de table (tâche 1)
Activité de climat : tour de table

Objectif relié au programme d'études

Constater qu'un nombre important de métiers et de professions exige des habiletés de coopération.

Objectifs reliés à la coopération
(comportements, habiletés sociales)

– À consolider :
  • rester dans son équipe ;
  • parler à voix basse ;
  • s'entraider ;
  • s'encourager ;
  • attendre son tour.
– À développer :
  • être conscient de la nécessité d'apprendre à travailler en coopération ;
  • décider ensemble.

Interdépendance positive

Buts communs

– Faire une liste de métiers et de professions (tâche 1) ;
– Repérer les métiers et les professions qui exigent de la coopération (tâche 2).

Autres moyens

– Partage des ressources matérielles (matériel restreint) :
  • sentiment d'appartenance à l'équipe ;
– Organisation spatiale.

Responsabilité individuelle

Adopter le mode d'interaction « Tour de table ».

Matériel et ressources

I jeu de cartes pour la formation des équipes.
– Pour chaque équipe :
  • I feuille « Tour de table : les métiers et les professions » ;
  • I crayon.
– Pour chaque élève :
  • I « Fiche d'auto-évaluation ».

Rétroaction

– Évaluation des objectifs reliés au programme d'études :
  • formative et qualitative lors de l'échange en assemblée plénière et par l'autoévaluation (devoir).
– Évaluation des objectifs reliés à la coopération :
  • formative et qualitative lors de la rétroaction aux équipes, par l'enseignante, d'après ses observations ;
  • lors de la séance plénière ;
  • à la suite de l'autoévaluation individuelle de l'élève.

DÉROULEMENT

Présentation aux élèves et réalisation de l'activité

1. Rappelez aux élèves qu'ils travailleront souvent en équipes de coopération cette année et que l'activité qu'on leur propose aujourd'hui leur permettra de comprendre une des raisons pour lesquelles l'apprentissage de la coopération est important.
2. Formez les équipes au hasard, en utilisant un jeu de cartes, par exemple.
3. Favorisez un bon climat dans l'équipe en permettant aux élèves d'établir un premier contact : chaque membre dira, à tour de rôle, quelle profession ou quel métier est perçu comme le plus excitant.
4. Expliquez la première tâche.
   En équipes de quatre, les élèves doivent se passer la feuille de l'équipe «Tour de table : les métiers et les professions» et y inscrire, à tour de rôle, une profession ou un métier connu. Il s'agit de constituer ainsi une liste aussi longue que possible en utilisant le mode d'interaction «Tour de table». La durée de cette première tâche ne doit pas excéder cinq minutes.
5. Précisez le matériel permis, les comportements attendus et le temps disponible.
6. Supervisez le travail des équipes.
7. Après cinq minutes, expliquez la deuxième tâche.
   Demandez aux équipes de relever, par consensus, tous les métiers et les professions de leur liste qui exigent de la coopération. Insistez sur le fait que cette nouvelle tâche demande des discussions afin d'en arriver à une décision commune. Allouez environ 15 minutes à cette étape.

RÉTROACTION

Évaluation des objectifs reliés au programme d'études	Évaluation des objectifs reliés à la coopération
• Qu'avez-vous constaté lors de la deuxième tâche ? • Quelle proportion des métiers et des professions de votre liste exige de la coopération ? • Lesquels des métiers ou des professions ont suscité de la controverse ? • Que pouvez-vous conclure de cette activité ? Dégagez que la majorité des métiers et des professions d'aujourd'hui exigent des habiletés de coopération, au moins à l'occasion, ce qui devrait constituer une motivation suffisante pour l'apprentissage de ce mode de travail à l'école.	• Lesquels des comportements attendus ont été bien adoptés par l'équipe ? • Lesquels ont été difficiles dans votre équipe ? Pourquoi ? • Comment pouvez-vous améliorer votre fonctionnement dans l'équipe ? À ce stade-ci, il sera certainement nécessaire de porter une attention particulière à l'habileté «décider ensemble». À l'aide d'un tableau en T, on pourra développer cette habileté à partir des observations et des lacunes constatées lors de l'activité.

PROLONGEMENT

Afin de permettre à chaque élève de faire le point individuellement, demandez-lui de remplir une *Fiche d'auto-évaluation* en guise de devoir.

Tour de table : les métiers et les professions

Nom des membres de l'équipe :   Date :

_____   _____

_____

_____

_____

En vous passant la feuille de l'équipe et un crayon, écrivez à tour de rôle un métier ou une profession que vous connaissez. Vous avez cinq minutes.

Comportements attendus :

- parler à voix basse ;
- rester dans son équipe ;
- s'entraider ;
- s'encourager ;
- attendre son tour.

_____

_____

_____

_____

_____

_____

_____

Après cinq minutes, trouvez tous les métiers et toutes les professions de votre liste qui exigent de la coopération ; vous devez *décider ensemble*.

À la fin de la période, l'équipe devra répondre à la question suivante : Qu'est-ce que vous avez découvert en faisant cette activité ?

_____

_____

_____

Fiche d'auto-évaluation

Nom : _____

Date : _____

Lors de l'activité : «Tour de table : les métiers et les professions», j'étais en équipe avec :

_____

_____

_____

_____

Une chose que j'ai apprise lors de cette activité :

_____

_____

_____

_____

_____

Un comportement que notre équipe a adopté :

_____

_____

_____

_____

_____

_____

Une chose que j'ai appréciée aujourd'hui :

_____

_____

_____

_____

_____

_____

_____

_____

_____

Devoir

Je note au moins cinq occasions de ma vie de tous les jours où il serait bon, utile ou agréable de savoir coopérer.

1. _____

2. _____

3. _____

4. _____

5. _____

Pedro cherche une école

Matière : enseignement moral
Degré : 5e - 6e année du primaire
Équipes de : 4 élèves
Formation des équipes : par l'enseignante

Expérience en coopération : 1 – ❷ – 3 – 4
Temps prévu : 50 minutes ainsi que
    30 minutes de rétroaction
Mode d'interaction : petits groupes hétéro-
    gènes régis par des rôles

Objectifs reliés au programme d'études

- Trouver les conséquences dues à l'impossibilité d'exercer ses droits ;
- Émettre des hypothèses quant aux causes de telles situations.

Objectifs reliés à la coopération
(comportements, habiletés sociales)

- À consolider :
  - décider ensemble ;
  - bien jouer son rôle ;
  - participer activement.

- À développer :
  - poser uniquement des questions d'équipe à l'enseignante.

Interdépendance positive

Buts communs

- Lire une histoire dans laquelle on empêche des enfants d'exercer un droit ;

- Trouver les conséquences possibles et émettre des hypothèses quant aux causes de cette situation.

Autres moyens

- Partage des ressources matérielles ;

- Partage des ressources humaines (rôles) :
  - lectrice ou lecteur ;
  - scripteuse ou scripteur ;
  - facilitatrice ou facilita-teur ;
  - messagère ou messager ;

- Organisation spatiale.

Matériel et ressources

- Pour la classe :
  - affiches précisant les rôles.

- Pour chaque équipe :
  - 1 « Feuille de travail d'équipe » ;
  - texte intitulé « Pedro cherche une école » ;
  - 1 crayon ;
  - 1 gomme à effacer.

Responsabilité individuelle

- Bien jouer son rôle ;

- Contribuer à la recherche de réponses.

Rétroaction

- Évaluation des objectifs reliés au programme d'études :
  - formative et collective lors de l'échange en séance plénière à partir de la feuille de travail d'équipe.

- Évaluation des objectifs reliés à la coopération :
  - formative et collective lors de la rétroaction aux équipes, par l'enseignante, d'après ses observations.

Cette activité se situe à l'intérieur d'une démarche d'apprentissage sur les droits de l'enfant. Lors des cours précédents, les élèves ont relevé les besoins essentiels des personnes, défini ce qu'est un droit, trouvé la différence entre un droit et un privilège, pris connaissance de la *Déclaration des droits de l'enfant* (version simplifiée) et reconnu qu'à chaque droit correspond la responsabilité de respecter le droit des autres.

DÉROULEMENT

Présentation aux élèves et réalisation de l'activité

1. Rappelez aux élèves les apprentissages faits jusqu'ici sur les droits de l'enfant. Précisez-leur qu'aujourd'hui ils feront connaissance avec des enfants d'un autre pays qui vivent une situation difficile parce qu'il leur est impossible d'exercer un droit important.

2. Expliquez la tâche.

   Après la lecture de l'histoire « Pedro cherche une école », les élèves doivent discuter ensemble pour déterminer le droit en question et les conséquences qui résultent de l'impossibilité d'exercer ce droit. Ils doivent ensuite émettre des hypothèses quant aux causes de cette situation. Leurs réponses doivent être consignées sur la feuille de travail d'équipe.

3. Formez les équipes et attribuez les rôles qui sont décrits sur une affiche.

   a) La facilitatrice ou le facilitateur clarifie la tâche et s'assure que l'équipe ne s'éloigne pas du sujet.

   b) La scripteuse ou le scripteur consigne les réponses qui ont fait consensus dans l'équipe sur la feuille de travail de l'équipe. Elle ou il demande de l'aide au besoin.

   c) La lectrice ou le lecteur lit les documents (histoire et questions de la feuille d'équipe).

   d) La messagère ou le messager va chercher de l'aide auprès de l'enseignante, seulement dans le cas de questions d'équipe.

4. a) Précisez le matériel permis, les comportements attendus et le temps alloué qui est de 20 minutes.

   b) Indiquez qu'une ou un porte-parole de l'équipe sera choisi au hasard pour faire la présentation au nom de l'équipe, au moment de la rétroaction.

5. Supervisez le travail des équipes.

RÉTROACTION

Évaluation des objectifs reliés au programme d'études	Évaluation des objectifs reliés à la coopération
• Quel droit les enfants de l'histoire ne peuvent-ils exercer ?	• Comment avez-vous joué vos rôles ?
• Quelles peuvent être les conséquences de cette situation ?	• Comment la façon de jouer son rôle peut-elle influer sur le travail de l'équipe ?
• Pensez-vous que cette situation vécue par les enfants est exceptionnelle dans le monde ?	• Parmi les rôles, lesquels étaient difficiles / faciles à jouer ? Pourquoi ?
• Quelles sont les causes du manque d'écoles, de matériel scolaire ou d'enseignants dans un grand nombre de pays ? (Donnez, au besoin, des informations sur le manque de ressources en éducation dans les pays en voie de développement. Proposez aux élèves de lire des documents de l'UNICEF.)	• Comment peut-on surmonter les difficultés lorsqu'on joue un rôle ?
	• Comment avez-vous respecté la consigne « Questions d'équipe seulement » ?
	• Qu'est-ce qu'on voit et entend dans des équipes où l'on respecte cette consigne ?

RÉTROACTION

- Comment les enfants dans l'histoire ont-ils essayé de résoudre leur problème ?
- Comment pourrions-nous nous montrer solidaires des enfants dans les pays en voie de développement qui ont des difficultés à exercer leurs droits ?

PROLONGEMENT

À la suite de la dernière question de l'évaluation des objectifs reliés au programme d'études, il est possible d'explorer des moyens concrets de coopération internationale ou de solidarité. Les élèves peuvent effectuer une recherche sur différents organismes d'aide internationale, organiser une action d'information ou de levée de fonds, participer à la collecte de fonds de l'UNICEF, solliciter la collaboration de personnes ressources pour s'informer davantage sur les causes de l'appauvrissement des pays en voie de développement ou sur les liens entre la pauvreté et la militarisation, les relations entre les pays pauvres et les pays riches, etc.

Feuille de travail d'équipe

1. Inscrivez le nom du membre de l'équipe à côté de chaque rôle.

   a) Lectrice / lecteur : _____

   b) Scripteuse / scripteur : _____

   c) Facilitatrice / facilitateur : _____

   d) Messagère / messager : _____

2. Lisez ensemble l'histoire «Pedro cherche une école» et discutez ensuite les questions suivantes.

   a) Dans cette histoire, quel est le droit que les enfants ne peuvent pas exercer?

   _____

   _____

   b) Lorsqu'on empêche les enfants d'exercer ce droit, quelles en sont les conséquences? Expliquez.

   _____

   _____

   _____

   _____

   _____

   _____

   c) À votre avis, pourquoi beaucoup d'enfants ne peuvent pas exercer leurs droits dans plusieurs pays? Formulez des hypothèses.

   _____

   _____

   _____

   _____

   _____

Sauvons l'école!

Pedro cherche une école

Pedro est assis sur son banc d'école. Autour de lui sont assis 48 autres enfants. Le maître est debout devant eux. Dans la main, il tient une petite baguette et il la tourne entre ses doigts, sans arrêt. Il ne regarde aucun de ses élèves. Enfin, il dit: «Les enfants, c'est la dernière fois aujourd'hui que nous faisons l'école. On va détruire cette maison-ci. Son propriétaire l'a décidé ainsi. Nous n'aurons plus de local de classe. Je ne sais pas où l'on pourrait en trouver un autre. Maintenant, rentrez à la maison.» Et rapidement, il se détourne et sort.

Les enfants restent assis. Personne ne dit un mot. Après un moment, ils sortent, un après l'autre. Personne ne rit, personne ne court. Lentement, ils quittent leur local de classe et rentrent à la maison.

Pedro est le dernier à quitter. Il est triste. Il aimerait bien rester à l'école et continuer à apprendre. Il sait que celui qui n'a rien appris reste toujours pauvre. C'est comme ça partout — en Bolivie* aussi.

Pedro prend ses effets scolaires sous le bras et arrive au grand boulevard. Le vent soulève la poussière et fait virevolter des feuilles de papier. Le vent est frais. Pedro ferme son blouson.

En ce moment, le vent lui dépose un morceau de journal devant les pieds. Rapidement, Pedro met un pied dessus. Sur la page, il y a une grande photo. On y voit une foule de personnes qui marchent ensemble dans la rue. Elles portent des pancartes et des affiches. «Donnez-nous du travail! Nos enfants ont faim!», peut-on lire sur les affiches.

Pedro veut déjà laisser la feuille s'envoler, mais tout à coup, il a une idée. Il prend la page de journal et s'en va en courant. Il tourne à un coin de rue, passe à travers une ruelle et franchit une entrée de cour. C'est ici qu'habite son professeur. La porte en bois

*La Bolivie est un État sud-américain. L'histoire se déroule à La Paz, capitale de ce pays, et c'est une vraie histoire.

est seulement entrouverte. Le maître est assis devant une petite fenêtre. Il est toujours en train de tourner la baguette entre ses doigts. Alors il aperçoit Pedro. Il lui fait signe d'approcher et lui demande : « Qu'est-ce que tu veux ? »

Pedro lui montre la page du journal. Il dit, tout excité : « Monsieur, on va faire la même chose. Mes amis vont m'aider. On fera des pancartes. Et tout le monde devra venir avec nous ! »

Le maître prend la page et la regarde. Il comprend. Il hoche la tête et dit : « Bien, Pedro ! Moi aussi, je viendrai ! »

Pedro sourit de bonheur. « Merci ! » crie-t-il et part en courant.

Quatre jours plus tard, on a terminé la confection de deux grandes affiches. On a fixé des bâtons à des planches de bois, et on peut y lire : « Nuestro problema ! Nous avons un problème ! Nous avons besoin d'un local de classe ! »

Le lendemain, quarante-neuf enfants marchent à travers les rues de La Paz. Pedro marche dans la première rangée. Il porte une pancarte. Son ami Manuel, qui ferme la marche, porte la deuxième pancarte. À côté des enfants marche le maître. Partout où ils passent, les gens s'arrêtent et lisent les pancartes. Personne ne rit d'eux.

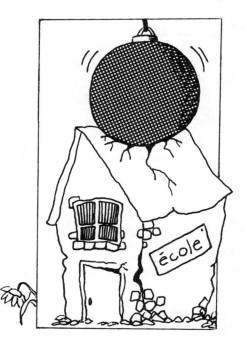

C'est ainsi que la journée passe. Pedro dit : « À demain ». Tous rentrent fatigués. Pendant trois jours, ils marchent dans les rues et sur les boulevards, traversent des places et des parcs. Le quatrième jour, un homme leur fait signe. « Arrêtez, dit-il, je veux vous parler. » Ils s'arrêtent. L'homme dit : « J'ai une baraque. Vous pouvez l'avoir comme local de classe. Mais il faut la vider. Venez, je vais vous la montrer. »

La baraque se trouve au fond d'une cour. Elle est pleine de vieilleries et de rebuts. Les enfants travaillent jusqu'à la tombée de la nuit. Ensuite, avec une charrette, ils vont chercher les bancs d'école et le tableau noir. Le lendemain, ils sont à nouveau assis sur leurs bancs d'école. Le maître dit : « C'est aujourd'hui, le 1er décembre, qu'on recommence à apprendre !

Source : Elfriede BECKER, Annegert FUCHSHUBER. *Kinder sehen dich an,* traduction libre de Monika Thoma-Petit, Adventskalender Lahr, Ernst Kaufmann Verlag, 1982.

Des cadeaux pour chacun
(activité de climat)

Matière : français
Degré : 2e année du primaire
Équipes de : 3-4 élèves
Formation des équipes : par l'enseignante

Expérience en coopération : **❶** – 2 – 3 – 4
Temps prévu : environ 45 minutes
Mode d'interaction : tour de table

Objectif relié au programme d'études

Réfléchir sur le langage (réviser la notion de rime).

Objectifs reliés à la coopération
(comportements, habiletés sociales)

– À consolider :
  • rester dans son équipe.

– À développer :
  • parler à son tour ;
  • écouter la personne qui parle ;
  • penser aux autres, inclure tout le monde.

Interdépendance positive

But commun

Faire une liste de cadeaux pour chaque personne de la classe (élève ou adulte).

Autres moyens

– Partage des ressources matérielles (matériel restreint) ;

– Organistion spatiale.

Responsabilité individuelle

– Adopter le mode d'interaction « tour de table » (réaliser à son tour une partie de la tâche) ;

– Choisir au hasard une ou un porte-parole.

Matériel et ressources

Pour chaque équipe :
• 1 feuille sur laquelle on écrit les prénoms de tous les participants ;
• 1 crayon ;
• 1 gomme à effacer.

Rétroaction

– Évaluation des objectifs reliés au programme d'études :
  • formative et qualitative du produit final de l'activité lors de la séance plénière.

– Évaluation des objectifs reliés à la coopération :
  • formative du déroulement, du respect des comportements et des habiletés sociales visées lors d'une séance plénière.

CONTEXTE	Cette activité fait partie d'un projet réalisé dans une classe d'audimutité (pour les élèves de deuxième cycle ayant eu de graves troubles de langage au tout début de leur existence). L'objectif consistait à créer un climat favorable aux apprentissages en permettant aux jeunes de se connaître davantage et de développer des sentiments de confiance et d'appartenance au groupe. Il est à noter que les adultes, l'enseignante et l'ortophoniste, en plus de jouer le rôle d'animatrice et d'observatrice, participaient à l'activité comme membres d'une équipe.
PRÉPARATION	– Prévoyez l'organisation spatiale des pupitres pour faciliter le tour de table. – Photocopiez pour chaque équipe la liste des prénoms de tous les participants.

DÉROULEMENT

Présentation aux élèves et réalisation de l'activité

1. Formez les équipes en tenant compte des capacités langagières et des habiletés sociales de chacune et de chacun.
2. Distribuez le matériel nécessaire.
3. Expliquez la tâche.

   En équipe, trouvez pour chaque personne de la classe des suggestions de cadeaux qu'elle pourrait recevoir pour sa fête. Il s'agit de cadeaux peu ordinaires.

   Il faut que le nom du cadeau rime avec le prénom de la personne qui le reçoit (exemples : des bonbons pour Manon, un pot de miel pour Raphaël, etc.). Chaque équipe a une feuille où sont écrits les prénoms de toutes les personnes de la classe. Pour commencer, l'élève qui a la feuille propose un cadeau pour quelqu'un et après la discussion en équipe, elle ou il l'écrit sur la feuille à côté du prénom de la personne choisie. Ensuite, la feuille est passée au voisin ou à la voisine de gauche, qui à son tour trouve une suggestion de cadeau pour quelqu'un. L'activité se poursuit jusqu'à ce que tout le monde ait au moins trois cadeaux (déterminez le nombre de cadeaux à trouver selon le nombre d'élèves dans la classe). Un membre de l'équipe choisi par l'enseignante donnera la liste des cadeaux pour tout le monde. D'autres équipes ajouteront à la liste les nouvelles idées de cadeaux.
4. Écrivez au tableau la liste des comportements attendus (*voir la grille*) et discutez-en avec les élèves.
5. Précisez la durée de l'activité (qui varie selon le nombre d'élèves dans la classe).
6. Observez le travail des équipes ; donnez le soutien nécessaire.
7. Dressez au tableau la liste des cadeaux.

   a) Choisissez une ou un porte-parole qui présente les suggestions de son équipe.

   b) Complétez cette liste en ajoutant les nouvelles idées venant des autres porte-parole.

RÉTROACTION

Évaluation des objectifs reliés au programme d'études	Évaluation des objectifs reliés à la coopération
• Est-ce que toutes les suggestions de cadeaux riment avec les prénoms ? • Est-ce que c'était difficile de faire rimer le nom du cadeau avec le prénom de la personne ? Pourquoi ?	• Quel cadeau aimes-tu le plus ? Pourquoi ? (Posez cette question, si le temps le permet, à chaque élève.) Quelle est l'équipe qui a eu l'idée de ce cadeau ?

**Évaluation des objectifs reliés
à la coopération** *(suite)*

- Est-ce que cela vous intéresserait de faire la liste des anniversaires de naissance de tout le monde dans la classe et de les souligner?
- Avez-vous appris quelque chose de nouveau sur quelqu'un dans la classe?
- Qu'est-ce qui vous a aidé à respecter votre tour?
- Est-ce que vous vous êtes senti écouté? Comment le saviez-vous?
- Qu'avez-vous fait pour que les autres sachent que vous les écoutiez?
- Est-ce que votre équipe a réussi à trouver des cadeaux pour tout le monde?
- Comment vous sentez-vous quand vous êtes rejeté par un groupe? Que ressentez-vous quand vous savez qu'on pense à vous, qu'on ne vous oubliera pas?

Attention ! Le père Noël arrive !

Matière : français
Degré : 2e et 3e année du primaire
Équipes de : 3 ou 4 élèves
Formation des équipes : par l'enseignante

Expérience en coopération : ❶ – 2 – 3 – 4
Temps prévu : environ 45 minutes
Mode d'interaction : tour de table

Objectifs reliés au programme d'études

- Être capable de lire et de comprendre des définitions ;
- Trouver le mot correspondant à la définition ;
- Être capable de l'orthographier correctement.

Objectifs reliés à la coopération
(comportements, habiletés sociales)

- À consolider :
  • rester dans son équipe ;
  • parler à voix basse ;
  • partager le matériel ;
  • respecter son tour.

- À développer :
  • participer activement ;
  • s'entraider.

Interdépendance positive

But commun

Compléter la grille de mots croisés.

Autres moyens

- Partage des ressources matérielles (matériel restreint) ;

- Organisation spatiale :
  • partage de la tâche dans l'équipe ;
  • partage de la tâche entre les équipes.

Matériel et ressources

Pour chaque équipe :
- les languettes de papier où sont transcrites les définitions (*voir la feuille reproductible* « Définitions ») ;
- 1 grille de mots croisés ;
- 1 crayon ;
- 1 gomme à effacer.

Responsabilité individuelle

- Adopter le mode d'interaction « tour de table » :
  • exécuter sa partie de la tâche ;
  • donner son opinion par rapport aux réponses de tous les coéquipiers ;
  • aider si nécessaire ses coéquipiers.

Rétroaction

- Évaluation des objectifs reliés au programme d'études :
  • formative et qualitative sous forme d'une discussion-rétroaction lors d'une séance plénière.

- Évaluation des objectifs reliés à la coopération :
  • formative et qualitative sous forme d'une discussion-rétroaction lors d'une séance plénière.

La formule de mots croisés permet de réviser des notions en mode coopératif, surtout s'il s'agit de définitions (en mathématiques, en sciences de la nature, en grammaire, etc.). Cette activité de révision du vocabulaire fut réalisée dans une classe de français, au début de l'implantation de la pédagogie de la coopération dans ce groupe.

– Prévoyez l'organisation spatiale des tables ou des pupitres pour le travail en équipe et la réalisation du tour de table.
– Faites des photocopies des feuilles reproductibles.
– Découpez les languettes de papier sur lesquelles on retrouve les définitions (*voir la feuille reproductible* Définitions).

Présentation aux élèves et réalisation de l'activité

1. Annoncez aux élèves qu'en travaillant en coopération ils compléteront la « Grille de mots croisés » (*voir la feuille reproductible*).
2. Formez les équipes. (Dans ce cas précis, l'orthophoniste avait formé les équipes. Dans un autre groupe, les équipes peuvent être formées au hasard.)
3. Fournissez à chaque équipe le matériel nécessaire pour réaliser la tâche. Distribuez les languettes entre les équipes de façon à ce que chaque équipe en reçoive deux par élève.
4. Expliquez la tâche.
   À tour de rôle, chaque membre de l'équipe tire une languette et cherche à trouver le mot qui correspond à la définition. S'il ou si elle pense l'avoir trouvé, il ou elle vérifie le nombre de lettres et inscrit le mot sur la grille après en avoir discuté avec les autres. S'il ou si elle ne trouve pas le mot, son équipe l'aide. La feuille circule dans le sens des aiguilles d'une montre.
5. Présentez les objectifs reliés à la coopération et particulièrement ceux qui sont à développer. Écrivez-les au tableau.
6. Précisez la durée de l'activité en équipe (environ 30 minutes) et de la séance plénière (environ 15 minutes).
7. Observez le travail des équipes en leur donnant le soutien nécessaire.
8. Nommez dans chaque équipe une ou un porte-parole qui, lors de la séance plénière, partagera quelques réponses trouvées par ses coéquipiers avec les élèves de la classe afin que chaque équipe complète sa grille.

Évaluation des objectifs reliés au programme d'études	**Évaluation des objectifs reliés à la coopération**
• Quels mots ont été les plus difficiles à trouver ? • Quels mots ont été les plus difficiles à orthographier ? • Comment avez-vous réussi à surmonter les difficultés ?	• Soulignez le fait que pour compléter la grille et réussir l'activité, la contribution de toutes les équipes et de chaque élève était nécessaire. • Qui a aidé une ou un autre élève ? • Qui a eu besoin de l'aide de ses coéquipiers ? • Comment peut-on savoir qu'un membre de notre équipe a besoin d'aide ? • Comment peut-on aider notre coéquipière ou notre coéquipier ? • Aimeriez-vous faire une autre activité semblable ? Pourquoi ?

Définitions

Photocopier et découper.

1. Il vous apporte des cadeaux le 24 décembre. C'est le _ _ _ _ Noël.

2. Le père Noël habite au _ _ _ _ Nord.

3. Elle est blanche comme les moustaches du père Noël et elle décore bien son visage.

4. Ils tirent le traîneau du père Noël.

5. Elle est blanche, les enfants l'aiment beaucoup et d'habitude on en a pour Noël.

6. On aime beaucoup en recevoir et en donner.

7. Il faudrait penser à la nettoyer pour que le père Noël ne se salisse pas quand il va passer par là.

8. On le décore pour Noël. Quel dommage : il faut le couper avant !

9. Elle est tout en haut du sapin.

10. Un autre mot pour dire traîneaux (au pluriel).

11. Le père Noël n'a pas besoin de taxi pour distribuer ses cadeaux, car il a son…

12. Elles sont de toutes les couleurs et décorent bien nos sapins et nos fenêtres.

13. L'arbre de Noël est souvent décoré avec de longues g… dorées ou argentées.

14. Le rire du père Noël.

Grille de mots croisés

Dessine-moi toutes sortes de choses...

Matière: français
Degrés: 2e et 3e année du primaire
Équipes de: 2 élèves
Formation des équipes: par l'enseignante

Expérience en coopération: 1 – ❷ – 3 – 4
Temps prévu: environ 80 minutes
Mode d'interaction: dyades avec alternance des rôles

Objectifs reliés au programme d'études

— Amener les élèves à représenter des objets, des animaux, divers éléments en réponse à des instructions verbales;

— Sélectionner une ou des informations pertinentes pour compléter les instructions.

Objectifs reliés à la coopération
(comportements, habiletés sociales)

— À consolider:
  • rester dans son équipe;
  • accepter sa ou son partenaire;
  • parler à voix basse;
  • parler à son tour;
  • écouter la personne qui parle.

  — À développer:
    • s'entraider;
    • bien jouer son rôle;
    • participer activement.

Interdépendance positive

Buts communs

— Lire pour compléter correctement des dessins;

— Sélectionner des mots pour former des phrases cohérentes;

— Permettre à chacune et à chacun de reformuler et de dessiner à tour de rôle.

Autres moyens

— Partage des ressources matérielles (matériel commun);

— Partage des ressources humaines (partage des connaissances et des habiletés) selon les rôles:
  • lectrice et lecteur;
  • dessinatrice ou dessinateur/ scripteuse ou scripteur.

— Organisation spatiale

Matériel et ressources

Pour chaque équipe:
• 1 feuille «Allons à la plage»;
• 1 feuille «Décorons la chambre»;
• 1 copie de chacun des dessins;
• 1 crayon;
• 1 gomme à effacer.

Responsabilité individuelle

— Réaliser à son tour une partie de la tâche;

— Jouer son rôle;

— Aider sa ou son partenaire;

— Parler et écouter lorsque c'est le temps.

Rétroaction

— Évaluation des objectifs reliés au programme d'études:
  • formative et qualitative sous forme de discussion lors d'une séance plénière et par l'observation des dessins affichés.

— Évaluation des objectifs reliés à la coopération:
  • formative et qualitative lors d'une séance plénière; commentaires de l'enseignante sur le travail en équipe à partir de ses observations.

Imprimez une feuille reproductible de chaque texte et de chaque dessin pour chacune des dyades.

Présentation aux élèves et réalisation de l'activité

1. Formez des équipes de deux en tenant compte des affinités de chacune et de chacun. Demandez aux élèves de se regrouper en dyades.
2. Expliquez brièvement les rôles de lecteur, de dessinateur et de scripteur.
3. Mentionnez les comportements attendus pendant l'activité ; présentez les objectifs à développer et écrivez-les au tableau.
4. Précisez que le temps disponible pour chaque partie de l'activité sera écrit au tableau.
5. Expliquez la première tâche. La lectrice ou le lecteur lit la phrase et demande ensuite à la dessinatrice ou au dessinateur de répéter dans ses mots ce qu'elle ou il doit dessiner. Si sa réponse est satisfaisante, l'élève s'exécuter. Les rôles changent après cinq phrases. Prévoyez environ dix minutes pour toutes ces explications.
6. Observez le travail en équipe en donnant le soutien nécessaire.
7. Arrêtez la tâche au bout de 20 minutes et demandez à un membre de l'équipe d'afficher le produit du travail.
8. Expliquez la deuxième tâche. Il s'agit des mêmes rôles mais, cette fois, la lectrice ou le lecteur doit aussi choisir un mot à placer dans un espace. Les mots se trouvent au bas de la feuille. Encore une fois, la dessinatrice ou le dessinateur ne peut se mettre au travail que lorsqu'elle ou il peut expliquer le dessin à accomplir.
9. Observez encore une fois le travail en équipe.
10. Après 20 minutes, l'autre membre de l'équipe affiche le travail.

Évaluation des objectifs reliés au programme d'études	Évaluation des objectifs reliés à la coopération
• En ce qui concerne la première tâche, est-ce que certaines phrases étaient plus difficiles à lire que d'autres ?	• Quels comportements attendus ont été respectés ?
• Est-ce qu'il y a des éléments dont tu as oublié de tenir compte (comme le fait de dessiner des noix de coco qui ne sont pas vraiment grosses…).	• Lesquels ont été plus difficiles à respecter ?
• Toujours pour la première tâche, est-ce qu'il y a des mots que tu n'as pas compris ?	• Est-ce que vous avez écouté la dessinatrice ou le dessinateur expliquer ce qu'elle ou il allait faire ?
• En ce qui concerne la deuxième tâche, est-ce qu'il y a des phrases pour lesquelles il n'y avait qu'un seul mot que l'on pouvait choisir ? Donne un exemple.	• Quand la dessinatrice ou le dessinateur oubliait quelque chose, qu'est-ce que la lectrice ou le lecteur faisait pour l'aider ?
• Est-ce qu'il y avait des phrases pour lesquelles on pouvait choisir plusieurs mots différents ? Lesquelles ?	• Est-ce qu'il y a un des deux rôles que vous avez préféré ? Si oui, lequel et pourquoi ?

Allons à la plage

1. Dessine deux grosses noix de coco sur le sable, à droite du palmier.

2. Ajoute un seau et une pelle tout près d'une des noix de coco.

3. Dessine trois petites vagues qui se brisent doucement sur le rivage.

4. Tristement, tu remarques que cinq poissons se sont échoués sur la plage.

5. En regardant le ciel, tu vois plusieurs nuages qui se dirigent vers le soleil.

À ce stade-ci du travail, vous changez de rôle. La dessinatrice ou le dessinateur devient lectrice ou lecteur et vice versa.

6. Tu observes ensuite que quatre gros coquillages entourent celui qui était déjà là.

7. Un joli parasol rayé semble protéger les poissons du soleil.

8. Deux oiseaux passent en criant dans le ciel.

9. Tu te dis que le bateau que tu vois au loin devrait revenir parce qu'il commence à faire mauvais.

10. De grosses gouttes se mettent à tomber et tu cours vite te mettre à l'abri.

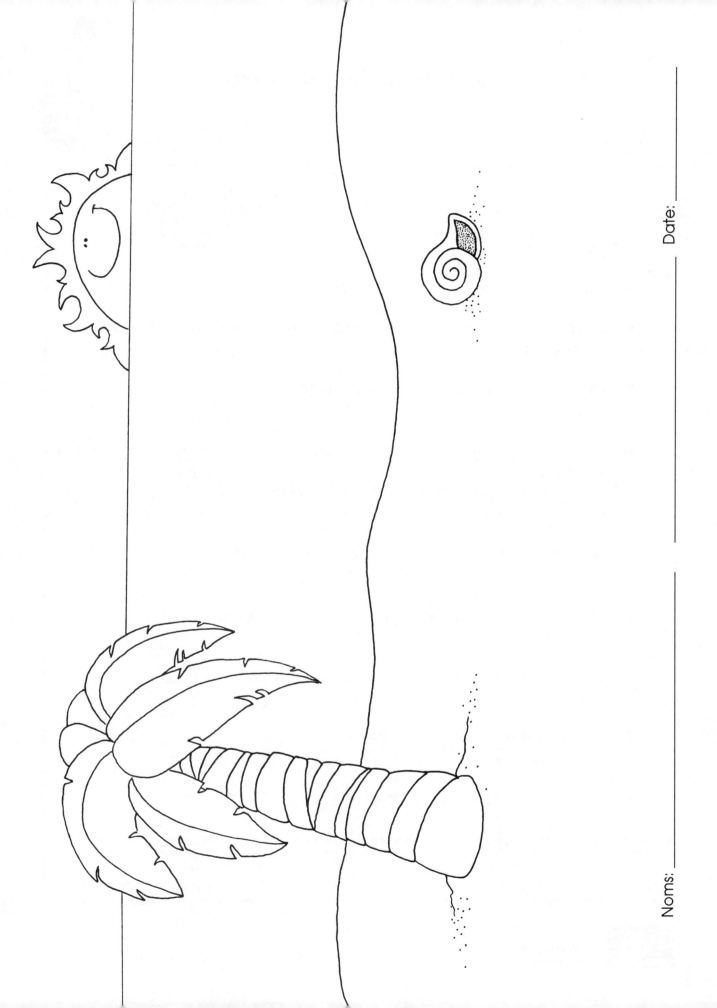

Noms: _____

Date: _____

Décorons la chambre

Noms: _____ _____

1. Dessine une fenêtre _____ du tableau.

2. Ajoute une horloge _____ de cette fenêtre.

3. L'ours en peluche semble se cacher, il est _____ le lit.

4. Il manque une poignée à la commode, mais il y en a quand même sur les deux _____ tiroirs.

5. Quelqu'un a renversé du jus, il y a une tache _____ le tapis.

À ce stade-ci du travail, vous changez de rôle. La lectrice ou le lecteur devient dessinatrice ou dessinateur et vice-versa.

---

6. Je viens de découvrir où se trouvait ma girafe, elle était cachée _____ mon coffre à jouets.

7. Mon chien a dû courir dans ma chambre parce qu'il y a un pot de fleurs brisé _____ de la commode.

8. Lorsque j'ai lu mon livre hier soir, j'ai oublié un verre _____ ma chaise.

9. J'ai laissé mes souliers de course traîner _____ la porte de ma garde-robe.

10. Je remarque deux fleurs séchées _____ ma commode.

derrière	devant	à droite	en dessous	premiers
sur	sous	au-dessus	à gauche	dans

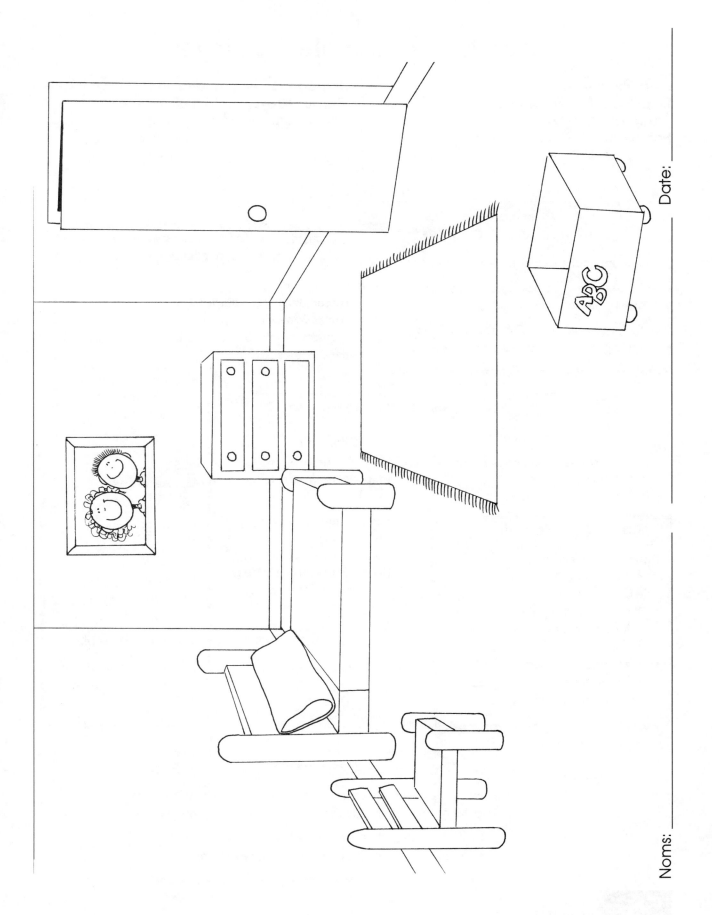

Noms: _____

Date: _____

Trouvons ensemble les pièges

Matière: français
Degrés: 2ᵉ à 4ᵉ année du primaire
Équipes de: 3 élèves
Formation des équipes: par l'enseignante ou au hasard

Expérience en coopération: 1 – ❷ – 3 – 4
Temps prévu: environ 45 minutes
Modes d'interaction: tour de table; groupes hétérogènes régis par des rôles

Objectifs reliés au programme d'études

- Comprendre des consignes orales;
- Être capable de porter un jugement sur la clarté de la consigne;
- Savoir expliquer pourquoi certaines consignes sont impossibles à exécuter.

Objectifs reliés à la coopération (comportements, habiletés sociales)

- À consolider:
  - rester dans son équipe;
  - parler à voix basse;
  - écouter la personne qui parle;
  - participer activement.
- À développer:
  - s'entraider;
  - assumer son rôle.

Interdépendance positive

But commun

Trouver les pièges reliés à la tâche.

Autres moyens

- Partage des ressources matérielles (matériel commun).
- Partage des ressources humaines (partage des connaissances et des habiletés) selon les rôles:
  - chronométreuse ou chronométreur;
  - secrétaire;
  - porte-parole.
- Organisation spatiale.

Matériel et ressources

Pour chaque équipe:
- 1 copie de la feuille «Consignes»;
- 1 copie de la feuille «À compléter»;
- 1 crayon;
- 1 gomme à effacer;
- 1 feuille de papier pour la ou le secrétaire.

Responsabilité individuelle

- Adopter le mode d'interaction «tour de table» (réaliser à son tour une partie de la tâche);
- jouer son rôle;
- choisir au hasard une ou un porte-parole.

Rétroaction

- Évaluation des objectifs reliés au programme d'études:
  - formative et qualitative lors de la séance plénière.
- Évaluation des objectifs reliés à la coopération:
  - formative et qualitative lors de la séance plénière.

– Prévoyez l'organisation spatiale des pupitres ou des tables pour faciliter le tour de table.
– Photocopiez pour chaque équipe les feuilles «Consignes» et «À compléter».

Présentation aux élèves et réalisation de l'activité

1. Formez vous-même les équipes ou laissez-les se former selon les critères jugés pertinents pour réaliser la tâche.
2. Distribuez le matériel nécessaire.
3. Expliquez la tâche.

   Chaque membre de l'équipe lit à son tour une consigne. Sa voisine ou son voisin de gauche l'exécute. Si celle-ci ou celui-ci ne peut pas le faire parce que c'est une consigne-piège, impossible à exécuter (car elle est incomplète, imprécise pas claire), elle ou il en donne la raison. Si l'élève ne peut pas trouver l'explication toute seule ou tout seul, l'équipe l'aide en posant des questions.

   La ou le secrétaire note les numéros des consignes-pièges. Les deux feuilles circulent dans le sens des aiguilles d'une montre.

   Lors de la séance plénière, la ou le porte-parole d'une équipe, qu'on détermine par le tirage au sort, présente la liste des consignes impossibles à exécuter et la feuille des réponses. Les porte-parole des autres équipes comparent les résultats en vérifiant s'ils sont les mêmes.
4. Assignez les rôles.
5. Précisez la durée de l'activité en équipe.
6. Observez le travail des équipes ; donnez le soutien nécessaire.

Évaluation des objectifs reliés au programme d'études	Évaluation des objectifs reliés à la coopération
Une grande partie de la rétroaction sur le contenu se fait lors de la présentation et de la comparaison des résultats en séance plénière. Maintenant l'enseignante choisit au hasard l'élève qui doit donner les explications des consignes qui n'ont pas pu être exécutées.	• Dans votre équipe, vous êtes-vous entraidés et de quelle façon ? • Est-ce qu'il y avait des rôles plus difficiles à assumer que d'autres ? Lesquels ? • Est-ce que quelqu'un a eu besoin d'aide de ses coéquipiers pour jouer son rôle ?

• Est-ce qu'il y avait des consignes que vous n'avez pas comprises et pourquoi ?

À ce stade-ci, l'enseignante fait ressortir la nécessité de s'exprimer par des phrases complètes, bien construites et claires.

Consignes

ATTENTION ! Il n'y a pas que les animaux qui peuvent tomber dans les pièges !

Regarde la liste des animaux sur la feuille « À compléter ».

1. Si tu aimes cet animal, écris son nom dans le troisième cercle du haut.

2. Trouve sur la liste celui qui a le nom le plus court. Écris-le dans le deuxième cercle du milieu.

3. Trouve le nom de l'animal qui rime avec le mot « crache ». Écris-le dans le premier cercle de la troisième rangée.

4. Quel animal sur la liste a un nom composé de trois lettres ? Place son nom dans le dernier cercle du haut.

10. Écris le nom de l'animal entre les cercles où se trouvent les mots « tigre » et « chat ».

11. Le nom de l'animal à plumes doit être écrit dans le troisième cercle de la troisième rangée.

12. Si le mot « éléphant » se trouve sur la liste, écris-le dans le dernier cercle du haut.

5. Trouve le mot « dauphin » ; écris-le à droite.

6. Écris le nom de l'animal qui n'a pas de pattes dans le premier cercle du haut.

7. Écris le nom de celui qui a une carapace dans le cercle du bas.

8. Le tigre doit se trouver dans le dernier cercle du milieu.

9. Écris le nom de l'animal aquatique en dessous du cercle avec le mot « tigre ».

À compléter

Nom : _____ Date : _____

Le chien	Le chat	Le lézard
Le cheval	La poule	Le tigre
La vache	Le renard	La girafe
Le serpent	La tortue	Le rhinocéros
La baleine	Le dauphin	L'éléphant

Une murale sur l'environnement

Matière: français
Degrés: 4e-5e-6e année du primaire
Équipes de: 3 élèves
Formation des équipes: au hasard

Expérience en coopération: 1 – ❷ – 3 – 4
Temps prévu: 30 minutes
Mode d'interaction: Continuum

Objectifs reliés au programme d'études

– Réviser les diverses composantes de la phrase;

– Tenir compte des indices grammaticaux et de la ponctuation pour structurer une phrase.

Objectifs reliés à la coopération
(comportements, habiletés sociales)

– À consolider:
  • écouter l'autre;
  • respecter le rôle de l'autre.

– À développer:
  • établir un consensus.

Interdépendance positive

But commun

Reconstituer une phrase sur le thème de l'environnement.

Autres moyens

– Partage des ressources matérielles (matériel restreint);

– Partage des ressources humaines à l'aide des rôles:
  • manipulatrice ou manipulateur (2);
  • chercheuse ou chercheur de consensus.

– Organisation spatiale.

Responsabilité individuelle

Assumer son rôle.

Matériel et ressources

– Pour la classe:
  • cartons sur lesquels on a inscrit chaque mot de la phrase (*voir la préparation*);
  • «Texte sur l'environnement» (*voir l'extrait fourni*).

Rétroaction

– Évaluation des objectifs reliés au programme d'études:
  • formative et qualitative lors de la séance plénière.

– Évaluation des objectifs reliés à la coopération:
  • formative et qualitative lors de la séance plénière.

Le mois de l'environnement est sans doute le meilleur moment pour présenter ce projet. Premièrement, le contexte s'y prête : la documentation et l'information sont abondantes. Deuxièmement, les élèves ont acquis en mai une certaine expérience de la coopération. L'ensemble du projet comprend cinq étapes distinctes.

PRÉPARATION

– Pour la première étape, aucune préparation n'est nécessaire.
– Pour la deuxième étape, découpez des cartons sur lesquels sont inscrits les mots de la phrase suivante : *Nous, les humains, les animaux, les plantes, souhaitons vivre heureux dans un environnement sain, propre, agréable et idéal* (18 mots, 18 cartons). Ne lisez pas cette phrase aux élèves avant l'activité.
– Pour la troisième étape, cherchez un texte sur l'environnement, ou distribuez l'extrait fourni.
– Pour la quatrième étape, préparez le journal de bord et la liste de matériel autorisé (fournis).
– Pour la cinquième étape, prévoyez le matériel artistique. Le résultat de l'activité artistique sera supérieur si on sélectionne quelques techniques à utiliser (par exemple : dessin au feutre, collage et dessin). Trop de techniques ou un matériel trop varié éparpillent les élèves.

DÉROULEMENT

Première étape

1. Présentez le projet d'une murale aux élèves en leur rappelant qu'ils devront la réaliser en équipe tout en appliquant certaines habiletés coopératives et en jouant des rôles précis.
2. Formez les équipes de trois ou quatre élèves en tenant compte des habiletés de chacune et de chacun (arts, sens de l'organisation, etc.). Ces équipes serviront aux quatrième et cinquième étapes.

Deuxième étape

1. Présentez le matériel, les objectifs reliés à la coopération, les rôles et la durée de l'activité (environ 20 minutes selon l'habileté des élèves à collaborer et leur connaissance de la structure de la phrase et de la ponctuation).
2. Formez au hasard neuf équipes.
3. Distribuez le matériel, soit deux cartons par équipe.
4. Nommez au hasard deux manipulateurs par équipe. Ils auront la responsabilité de se déplacer avec un carton.
5. Expliquez la tâche.
   La classe doit reconstituer une phrase sur l'environnement à partir de mots écrits sur des cartons. Les équipes se placent en ligne, un des manipulateurs devant, les coéquipiers derrière. Le maître de jeu (l'enseignante ou une ou un élève) invite une manipulatrice ou un manipulateur de l'équipe qui possède le premier mot de la phrase à s'avancer et à se placer face au groupe. La manipulatrice ou le manipulateur doit toujours consulter ses coéquipiers avant de bouger.
   À tour de rôle, les équipes se consultent puis repèrent le mot qui doit suivre. Peu à peu, les manipulateurs se placent côte à côte ; la phrase se forme. Si une équipe juge qu'un mot est mal placé, sa manipulatrice ou son manipulateur peut demander à une ou un autre de le déplacer en justifiant sa demande. Le changement se fait si les deux équipes des deux manipulateurs sont d'accord.
   Le jeu prend fin lorsque la phrase est complétée.

Évaluation des objectifs reliés au programme d'études	Évaluation des objectifs reliés à la coopération
RÉTROACTION	
– Était-ce facile de reconstituer la phrase ? Quelles stratégies avez-vous utilisées ? – Quelles connaissances vous ont été utiles ? Quel est le message de cette phrase ?	– Les manipulateurs ont-ils bien joué leur rôle ? Qu'est-ce qui vous faire dire cela ? – Avez-vous respecté ce rôle ? – Était-ce facile d'établir un consensus dans l'équipe ? Pourquoi ? Comment pourrions-nous améliorer notre façon de trouver des consensus ? Qu'est-ce qu'on peut observer dans une équipe où l'on établit des consensus ? (On peut ici constituer une liste de comportements observables qui indiquent que les membres de l'équipe cherchent et trouvent des consensus.)

CONTEXTE

Troisième étape

Cette étape ne vise pas à développer des habiletés coopératives, mais elle est essentielle dans la réalisation du projet.

DÉROULEMENT

1. Demandez aux élèves de lire un texte sur l'environnement (*voir la feuille « Réflexion sur l'environnement »*) et d'en discuter en faisant ressortir les idées importantes.
2. Faites un remue-méninges à partir de quatre mots clés de la phrase thématique : *heureux, sain, idéal* et *environnement*. Cette discussion devrait alimenter l'imaginaire des jeunes et les aider à visualiser le thème.
3. Précisez que cette étape doit durer environ 20 minutes.

Réflexion sur l'environnement

Dès lors, Robinson s'appliqua à vivre de rien tout en travaillant à une exploitation intense des ressources de l'île. Il défricha et ensemença des hectares entiers de prairies et de forêts, repiqua tout un champ de navets, de raves et d'oseille, espèces qui végétaient sporadiquement dans le Sud, protégea contre les oiseaux et les insectes des plantations de palmiers à choux, installa vingt ruches que les premières abeilles commencèrent à coloniser, creusa au bord du littoral des viviers d'eau douce et d'eau de mer dans lesquels il élevait des brèmes, des anges de mer, des cavaliers et même des écrevisses de mer. Il constitua d'énormes provisions de fruits secs, de viande fumée, de poissons salés et de petits fromages durs et friables comme de la craie, mais d'une conservation indéfinie. Il découvrit enfin un procédé pour produire une sorte de sucre grâce auquel il put faire des confitures et des conserves de fruits confits. Il s'agissait d'un palmier dont le tronc, plus gros au centre qu'à la base et au sommet, pleurait une sève extraordinairement sucrée. Il abattit un de ces arbres, coupa les feuilles qui le couronnaient, et aussitôt la sève se mit à sourdre à l'extrémité supérieure. Elle coula ainsi des mois entiers, mais il fallait que Robinson enlevât chaque matin une nouvelle tranche du tronc dont les pores avaient tendance à se boucher. Ce seul arbre lui donna quatre-vingt-dix gallons de mélasse qui se solidifia peu à peu en un énorme gâteau.

C'est en ce temps-là que Tenn, le setter-laverack de la Virginie, jaillit d'un buisson et se précipita vers lui, éperdu d'amitié et de tendresse.

Source: Michel TOURNIER. *Vendredi ou les limbes du Pacifique*, Paris, © Gallimard, «Folio», p. 63.

Une murale sur l'environnement 2

Matière : français
Degrés : 4e - 5e - 6e année du primaire
Équipes de : 3 ou 4 élèves
Formation des équipes : par l'enseignante
    (*voir le point 2 de la première étape, p. 63*)

Expérience en coopération : 1 – ❷ – 3 – 4
Temps prévu : 1 h 15 minutes
Modes d'interaction : groupes hétérogènes
    régis par des rôles ;
    tour de table.

Objectif relié au programme d'études

Communiquer clairement son idée.

Objectifs reliés à la coopération
(comportements, habiletés sociales)

– À consolider :
- respecter les rôles ;
- écouter les autres ;
- parler à voix basse.

– À développer :
- décider ensemble ;
- exprimer son accord et son désaccord de façon acceptable ;
- reconnaître le talent de chacune et de chacun, et en faire profiter l'équipe.

Interdépendance positive

But commun

Planifier la réalisation de la murale.

Autres moyens

– Partage des ressources matérielles (matériel restreint) ;

– Partage des ressources humaines à l'aide des rôles :
- secrétaire ;
- chercheuse ou chercheur de consensus et gestionnaire du droit de parole ;
- messagère ou messager et chronométreuse ou chronométreur.

– Organisation spatiale.

Matériel et ressources

– Pour la classe :
- dimensions de la feuille de base pour la murale (à prévoir selon les goûts de chacun et de chacun) ;
- grille d'observation du travail d'équipe ;
- liste du matériel artistique autorisé et disponible.

– Pour chaque équipe :
- copie de la feuille « Journal de bord ».

Responsabilité individuelle

– Participer au tour de table ;

– Assumer son rôle.

Rétroaction

– Évaluation des objectifs reliés au programme d'études :
- formative et qualitative lors de la séance plénière.

– Évaluation des objectifs reliés à la coopération :
- formative et qualitative lors de la séance plénière.

Voir l'activité précédente : *Une murale sur l'environnement*, p. 62.

DÉROULEMENT

Quatrième étape

1. Assignez les rôles aux élèves. Ils peuvent être distribués par l'enseignante selon des critères déjà établis ou choisis par consensus par les membres de l'équipe.
   a) La ou le secrétaire note les décisions de l'équipe dans le journal de bord.
   b) La chercheuse ou le chercheur de consensus joue aussi le rôle de la ou du gestionnaire du droit de parole. Elle ou il s'assure que les membres de l'équipe sont d'accord avec les décisions que note la ou le secrétaire.
   c) La messagère chronométreuse ou le messager chronométreur sert de point de contact avec l'enseignante.
2. Présentez les objectifs reliés à la coopération, la liste du matériel autorisé, le journal de bord et la durée de l'activité.
3. Expliquez la tâche.
   En équipe, les élèves doivent compléter le journal de bord afin de planifier la réalisation de la murale. À la suite du remue-méninges fait à la troisième étape, ils ont déjà une bonne connaissance de leur sujet. En utilisant le mode d'interaction «tour de table», les élèves donnent leur opinion. Ils font autant de tours qu'il est nécessaire pour établir un consensus sur la façon d'illustrer le thème. Puis, chaque élève propose d'assumer une partie de la murale selon ses talents et son intérêt. La chercheuse ou le chercheur de consensus s'assure que tous les membres de l'équipe soient d'accord et satisfaits des décisions.
4. Supervisez le travail d'équipe et notez les comportements ciblés dans la « Grille d'observation du travail d'équipe ».

RÉTROACTION

Évaluation des objectifs reliés au programme d'études	Évaluation des objectifs reliés à la coopération
• Le thème était-il suffisamment compris ? • Le journal de bord a-t-il été bien complété ? • Avez-vous réussi votre planification ? • Chaque membre de l'équipe connaît-il bien sa responsabilité (rôle et tâche) pour compléter la dernière étape ?	• Était-ce facile de décider ensemble ? Pourquoi ? Comment avez-vous procédé ? • Avez-vous utilisé les talents de chacune et de chacun ? Avez-vous respecté l'idée des autres ? • Avez-vous réussi à dire votre désaccord de façon acceptable ? Était-ce facile ou difficile ? • Pouvez-vous donner des exemples de phrases qui peuvent exprimer le désaccord de façon acceptable ? (Affichez les exemples de phrases afin que les élèves puissent s'y référer ultérieurement.)

Matériel artistique

Matériel	Technique
Dessin	pastel gras craie de cire fusain crayon feutre gomme réserve avec pastel gras
Peinture	gouache liquide
Collage	papier découpé ou déchiré (construction, de soie), papier pliage

Journal de bord   Date : _____

En équipe, vous devez préciser comment vous illustrez la phrase suivante.

Nous, les humains, les animaux, les plantes, souhaitons vivre heureux dans un environnement sain, propre, agréable et idéal.

N'oubliez pas : pour toute décision, il doit y avoir consensus dans l'équipe. Tout le monde doit être d'accord !

Rôles	Noms des membres de l'équipe
Secrétaire	
Chercheuse ou chercheur de consensus et gestionnaire du droit de parole	
Messagère ou messager et responsable du matériel	
Responsable du nettoyage	

Planification pour la réalisation d'une murale sur le thème de l'environnement

Éléments à illustrer	Matériaux à utiliser	Responsable de la réalisation

Grille d'observation du travail d'équipe

Équipe	Éléments à observer	souvent	parfois	jamais	commentaires
	Participation de tous				
	Respect des rôles				
	Écouter l'autre				
	Encourager l'autre				
	Autre éléments à observer				

Une murale sur l'environnement 3

Matière : arts
Degrés : 4e - 5e - 6e année du primaire
Équipes de : 3 ou 4 élèves
Formation des équipes : par l'enseignante
(*voir le point 2 de la
première étape, p.63*)

Expérience en coopération : 1 – ❷ – 3 – 4
Temps prévu : 2 heures
Mode d'interaction : groupes hétérogènes
régis par des rôles

Objectifs reliés au programme d'études

– Respecter des gestes dans des techniques déjà explorées par des exercices de base (3.2) ;

– Expliciter les thèmes de l'être et de l'environnement en fonction de son image dans des réalisations de mémoire, d'invention et d'observation (3.4).

Objectifs reliés à la coopération
(comportements, habiletés sociales)

– À consolider :
  • respecter les rôles ;
  • écouter l'autre ;
  • parler à voix basse.

– À développer :
  • encourager l'autre.

Interdépendance positive

But commun

Réaliser une murale sur l'environnement.

Autres moyens

– Partage des ressources matérielles (matériel restreint) ;

– Partage des ressources humaines à l'aide des rôles :
  • responsable du matériel ;
  • messagère ou messager et chronométreuse ou chronométreur ;
  • responsable de la voix basse.

– Organisation spatiale.

Responsabilité individuelle

– Réaliser une partie de la murale ;
– Assumer son rôle.

Matériel et ressources

– Pour la classe :
  • 1 feuille «Matériel artistique» (*voir «Une murale sur l'environnement 2»*).

– Pour chaque équipe :
  • un «Journal de bord» (*voir «Une murale sur l'environnement 2»*).
  • 1 feuille «Défi de l'équipe».

– Pour chaque élève :
  • 1 feuille «Auto-évaluation».

Rétroaction

– Évaluation des objectifs reliés au programme d'études :
  • formative et qualitative lors de la séance plénière.

– Évaluation des objectifs reliés à la coopération :
  • formative et qualitative lors de la séance plénière.

Il est recommandé de laisser s'écouler quelques jours entre la préparation du journal de bord et la réalisation de la murale. Ce délai permet aux élèves de réfléchir sur le sujet et d'améliorer leur préparation.

Cinquième étape

1. Assignez les rôles au hasard.
2. Présentez les objectifs reliés à la coopération, particulièrement l'habileté « Encourager l'autre ». (*Voir la fiche explicative 5 « Le développement des habiletés coopératives » p. 180*).
3. Remettez le journal de bord à chaque équipe. Donnez cinq minutes afin que les membres mettent au point certaines idées. À ce stade, il n'est pas question de permettre une reprise complète du journal de bord, mais plutôt d'apporter certaines précisions, certains ajouts qui permettront d'enrichir le travail.
4. Expliquez la tâche.
   Les élèves sont appelés à réaliser une murale en respectant le thème et la planification consignée dans le journal de bord. Une période de 2 heures leur sera allouée.
5. Supervisez le travail et observez les comportements de chacune et de chacun. Ciblez certains élèves ou ne retenez qu'un ou deux comportements pour l'ensemble de la classe (dont l'encouragement). (*Voir la Grille d'observation du travail d'équipe.*)

Évaluation des objectifs reliés au programme d'études	Évaluation des objectifs reliés à la coopération
• Les matériaux étaient-ils bien choisis pour illustrer le thème ?	• Individuelle et par les pairs (*voir la feuille « Auto-évaluation »*).
• Retrouvons-nous tous les éléments importants de la phrase ?	• En équipe (*voir la feuille « Défi de l'équipe »*).
• Les techniques utilisées servent-elles bien le sujet ?	• En plénière (*voir la fiche explicative 5, p. 180*).
• Y a-t-il une impression de bonheur dans notre murale ? Comment avons-nous réussi à exprimer ce sentiment ? Y a-t-il du mouvement dans notre murale ? Quels moyens avons-nous utilisés pour donner cette impression ?	– Est-ce facile d'encourager les autres ? – Quel effet ont des paroles encourageantes sur une coéquipière ou un coéquipier ? – Quel effet ont des paroles décourageantes ? – Y a-t-il plusieurs façons d'encourager ou de décourager quelqu'un ?

Auto-évaluation

Nom : _____ **Date** : _____

1. J'ai écouté les autres.   Oui ❏   Non ❏

2. Les autres m'ont écouté.   Oui ❏   Non ❏

   Si oui, comment le sais-tu ?

   _____

   _____

3. J'ai encouragé quelqu'un dans mon équipe.   Oui ❏   Non ❏

4. Quelqu'un m'a encouragé.   Oui ❏   Non ❏

   Si oui, comment ?

   _____

   _____

5. Y a-t-il d'autres aspects de ton travail ou de celui de ton équipe que tu aimerais évaluer ?

   Mon travail

   _____

   _____

   Le travail de mon équipe

   _____

   _____

6. J'ai aimé être dans cette équipe.

   Beaucoup ❏   Un peu ❏   Pas du tout ❏

   Parce que :

   _____

Défi de l'équipe

Date : _____ **Défi de l'équipe**

Nom des membres de l'équipe :

_____

_____

_____

_____

Si nous travaillons ensemble une prochaine fois, notre défi pour mieux travailler en équipe serait :

_____

_____

Date : _____ **Défi de l'équipe**

Nom des membres de l'équipe :

_____

_____

_____

_____

Si nous travaillons ensemble une prochaine fois, notre défi pour mieux travailler en équipe serait :

_____

_____

Date : _____ **Défi de l'équipe**

Nom des membres de l'équipe :

_____

_____

_____

_____

Si nous travaillons ensemble une prochaine fois, notre défi pour mieux travailler en équipe serait :

_____

_____

Mon prof et moi, on s'organise !

Matières : français, morale (gestion de classe)
Degrés : 4e - 5e - 6e année du primaire ;
secondaire
Équipes de : 4 ou 5 élèves
Formation des équipes : au hasard

Expérience en coopération : 1 – **❷** – 3 – 4
Temps prévu : environ 60 minutes
Mode d'interaction : graffiti

Objectifs reliés au programme d'études

– Français :
  • énoncer clairement son idée à l'écrit et à l'oral ;
  • sélectionner et regrouper l'information.

– Morale
  • clarifier des valeurs à partir d'un processus à trois étapes (choix, estime et action) ;
  • développer son sens d'appartenance à un groupe.

Objectifs reliés à la coopération
(comportements, habiletés sociales)

– À consolider :
  • écouter les autres ;
  • tenir compte des idées des autres.

  – À développer :
    • participer lors de la discussion ;
    • établir un consensus.

Interdépendance positive

But commun

Trouver des idées dans le but d'élaborer un référentiel « disciplinaire » pour la classe dans un esprit de gestion participative.

Autres moyens

– Partage des ressources matérielles (matériel partagé) ;

– Choix au hasard d'une ou d'un porte-parole d'une équipe ;

– Utilisation de crayons de couleur différente pour chaque élève de l'équipe ;

– Organisation spatiale.

Responsabilité individuelle

– Répondre aux questions par écrit ;

– Participer à la discussion lors de la synthèse ;

– S'assurer que chaque membre de l'équipe est en mesure de jouer le rôle de porte-parole.

Matériel et ressources

Pour chaque équipe :
• 1 grande feuille (contenant une question différente pour chaque équipe) ;
• 1 crayon de couleur différente pour chaque membre
• 1 feuille de synthèse ;
• 1 feuille « Auto-évaluation de l'équipe ».

Rétroaction

– Évaluation des objectifs reliés au programme d'études :
  • formative et qualitative en sous-groupe.

– Évaluation des objectifs reliés à la coopération :
  • formative et qualitative en équipe
    (*voir la feuille* « Auto-évaluation de l'équipe »).

Le mois de septembre est le temps privilégié pour définir les règles qui régissent le fonctionnement d'un groupe-classe. En général, les enseignantes s'en préoccupent et s'accordent un certain temps pour répondre à ce besoin. Dans un esprit de gestion participative, l'enseignante et ses élèves élaborent un référentiel disciplinaire qui permettra à chacune et à chacun de bien se définir et de vivre ensemble de façon harmonieuse.

– Préparez six grandes feuilles. Sur chacune d'elles, écrivez l'une des questions suivantes (une feuille par question).
   1. Comment peux-tu reconnaître une bonne ou un bon élève ?
   2. Comment peux-tu reconnaître une bonne ou un bon enseignant ?
   3. Comment peux-tu reconnaître un bon parent ?
   4. Comment peux-tu définir les principales valeurs qu'on doit retrouver dans les règles de vie de la classe ?
   5. De quelle manière ton enseignante peut-elle te faire plaisir quand tu respectes les règles de vie de la classe ?
   6. Si tu ne respectes pas les règles de vie de la classe, quelles seraient les conséquences désagréables ?
– Prévoyez un crayon de couleur différente par élève, une même équipe.
– Prévoyez six feuilles pour la synthèse.

Présentation aux élèves et réalisation de l'activité

1. Formez les équipes au hasard.
2. Présentez une activité de climat au sein de l'équipe (par exemple, trouvez une qualité commune ou une chanson, ou un mets que tous les membres de l'équipe aiment).
3. Distribuez le matériel.
4. Expliquez la tâche.
   La tâche se divise en trois étapes. D'abord, les élèves effectuent un travail individuellement. Ensuite, en équipe, ils font une synthèse. (Expliquez le concept.) Enfin, lors de la séance plénière, ils communiquent leurs informations à la classe.
   a) Chaque équipe reçoit une feuille sur laquelle est écrite une question. Les élèves y répondent individuellement. Chaque membre de l'équipe utilise un crayon de couleur différente pour répondre. Une durée d'environ deux minutes est prévue pour effectuer cette tâche.
   Le temps écoulé, les équipes changent de feuille de la façon suivante : l'équipe n° 1 passe sa feuille à l'équipe n° 2 qui passe la sienne à l'équipe n° 3 et ainsi de suite. Le processus recommence : les élèves répondent indivuellement en respectant le temps alloué. La première étape se termine quand chaque équipe a répondu à toutes les questions et reçoit sa feuille de départ.
   b) Les membres de l'équipe lisent, discutent, résument les informations et décident du mode de leur présentation à la classe. On tire au sort le nom d'une ou d'un porte-parole par équipe pour présenter la synthèse.
   On doit alors assigner à une ou un élève le rôle de secrétaire pour noter la synthèse de chaque équipe. Comme on est en début d'année, on peut le déterminer au hasard ou demander une ou un volontaire. Il serait bon d'informer les élèves qu'ils auront tous, un jour ou l'autre, à jouer ce rôle.
   On doit également présenter les objectifs reliés à la coopération et expliquer le sens de « faire consensus ».

DÉROULEMENT

Présentation aux élèves et réalisation de l'activité (*suite*)

5. Précisez la durée de l'activité : répondre aux questions (environ 15 minutes), faire la synthèse (environ 15 minutes) et organiser la séance plénière (environ 10 minutes).
6. Observez le travail des équipes et les comportements en donnant le soutien nécessaire.
7. Animez la séance plénière tout en permettant aux porte-parole de présenter la synthèse.

RÉTROACTION

Évaluation des objectifs reliés au programme d'études	Évaluation des objectifs reliés à la coopération
• Avez-vous réussi à exprimer clairement vos idées ? • Comment avez-vous procédé pour faire la synthèse ?	Après la lecture des feuilles d'auto-évaluation, l'enseignante donnera, lors d'un exposé oral ou écrit, une rétroaction spécifique à chaque équipe.

PROLONGEMENT

À partir des synthèses des équipes 1, 2, 3 et 4, l'enseignante et ses élèves pourront traduire leurs valeurs sous forme de règles de vie (cinq au maximum). Ces règles devront être courtes, écrites au « je », au présent et à la forme positive. On peut également trouver des conséquences agréables ou privilèges à la question n° 5 et des conséquences désagréables à la question n° 6. Les réponses aux trois premières questions peuvent être regroupées sur un carton et servir d'aide-mémoire tout au long de l'année. On affiche les réponses dans la classe afin que les jeunes et l'enseignante puissent s'y référer régulièrement.

Auto-évaluation de l'équipe

Nom des membres : _____ _____

_____ _____

Date : _____

1. Est-ce que chaque membre a participé
    lors de la synthèse ?   **Oui**   **Non**

    Comment peut-on l'affirmer ?   5   4   3   2   1

    _____

2. Avons-nous écouté les autres membres
    de l'équipe ?   **Oui**   **Non**

    Comment pouvons-nous l'affirmer ?   5   4   3   2   1

    _____

3. Avons-nous respecté les idées des autres ? **Oui**   **Non**

    Comment le savons-nous ?   5   4   3   2   1

    _____

4. Était-ce facile de faire un consensus ?   **Oui**   **Non**

    Pourquoi ?   5   4   3   2   1

    _____

    Comment avons-nous procédé ?

    _____

Complète ce poème dédié à ma sœur

Matière: français
Degrés: 4e - 5e - 6e année du primaire
Équipes de: 3 élèves
Formation des équipes: par l'enseignante

Expérience en coopération: 1 – ❷ – 3 – 4
Temps prévu: environ 80 minutes
Mode d'interaction: petits groupes hétérogènes régis par des rôles

Objectif relié au programme d'études

Compléter les phrases d'un texte en appliquant certaines règles grammaticales et en tenant compte de l'aspect sémantique.

Objectifs reliés à la coopération (comportements, habiletés sociales)

– À consolider:
  • rester dans son équipe;
  • accepter sa ou son partenaire;
  • participer et écouter activement;
  • parler à voix basse.

– À développer:
  • s'entraider;
  • partager les ressources;
  • bien jouer son rôle;
  • se concerter;
  • faire consensus.

Interdépendance positive

But commun

Reconstruire un poème à partir de mots et de phrases.

Autres moyens

– Partage des ressources matérielles (matériel restreint);

– Partage des ressources humaines à l'aide de rôles:
  • lectrice ou lecteur;
  • facilitatrice ou facilitateur;
  • responsable du matériel et intermédiaire.

– Organisation spatiale

Matériel et ressources

– Pour la formation des équipes:
  • des images de visage découpées en trois (1 par équipe);

– Pour chaque équipe:
  • 1 grand carton,
  • 1 bâton de colle,
  • 4 enveloppes contenant les strophes,
  • 1 enveloppe contenant les mots manquants.

Responsabilité individuelle

– Assumer son rôle;

– Aider ses partenaires;

– Participer activement;

– Exprimer son opion sur les réponses des coéquipiers;

– Arriver à un consensus;

– Être capable de répondre aux questions qui sont désignées au hasard.

Rétroaction

– Évaluation des objectifs reliés au programme d'études:
  • formative et qualitative sous forme de discussion (on tire des noms au hasard) lors de la séance plénière.

– Évaluation des objectifs reliés à la coopération:
  • formative et qualitative lors de la séance plénière; commentaires de l'enseignante sur le travail en équipe à partir de ses observations.

– Assurez-vous d'avoir un espace où les élèves pourront se regrouper en équipes de trois.
– Prévoyez cinq enveloppes pour chacune des équipes. Quatre d'entre elles contiennent les strophes du poème, soit une enveloppe pour chacune des strophes (*voir les feuilles reproductibles 1 à 4*) et la cinquième comporte les 20 mots manquants (*voir la liste de mots*). De plus, chaque élève a, dans une enveloppe lui étant adressée, le tiers d'un visage (photocopié d'une revue) au verso son rôle est inscrit.
Il lui faut découvrir les deux autres membres de son équipe en trouvant les pièces manquantes de son image.

Présentation aux élèves et réalisation de l'activité

1. Faites remarquer aux élèves qu'il est important de tenir compte du contexte en situation de lecture. Par conséquent, le poème présenté leur demande d'apporter une attention particulière à cet aspect, soit l'aspect sémantique.
2. Demandez aux élèves d'ouvrir l'enveloppe leur étant adressée et de trouver les personnes possédant les deux autres morceaux complétant leur image. Il s'agit des deux autres membres de leur équipe.
3. Demandez aux élèves de se regrouper. Faites-leur remarquer que leur rôle est inscrit au verso de leur image. Vous avez préalablement formé les équipes en tenant compte des habiletés académiques et des affinités de chacune et de chacun, de manière à former des équipes hétérogènes.
4. Expliquez brièvement les rôles de lectrice ou lecteur, de responsable du matériel, d'intermédiaire et de facilitatrice ou facilitateur.
5. Mentionnez les comportements attendus pendant l'activité ; présentez les objectifs à développer et écrivez-les au tableau.
6. Mentionnez à vos élèves qu'on leur posera des questions au hasard pendant la rétroaction.
7. Précisez que le temps disponible pour chacune des parties de l'activité sera inscrit au tableau.
8. Expliquez la première partie de la tâche.
   Les élèves doivent, en se concertant, se mettre d'accord pour placer les mots qui conviennent dans les vers.
   Prévoyez environ dix minutes pour toutes ces explications.
9. Observez le travail en équipe en donnant le soutien nécessaire.
10. Arrêtez la tâche au bout de dix minutes et choisissez une ou un porte-parole au hasard (une ou un par équipe) afin d'encourager une brève discussion sur les indices qui leur ont permis de placer les bons mots aux bons endroits. Consacrez à peu près cinq minutes à ces échanges.
11. Expliquez la deuxième partie de la tâche.
   Les élèves auront maintenant, toujours en s'entraidant, à placer les phrases de chacune des quatre strophes en ordre afin de former un texte cohérent.
12. Observez encore une fois le travail en équipe qui devrait durer 15 minutes.

	Évaluation des objectifs reliés au programme d'études	Évaluation des objectifs reliés à la coopération
RÉTROACTION	• Est-ce qu'il n'y avait qu'une possibilité lorsqu'il fallait placer le bon mot au bon endroit ? • Avez-vous trouvé plus facile de placer les mots aux bons endroits ou les vers en ordre ? • Est-il possible d'inverser quelques vers tout en conservant le sens du poème ? • Qu'est-ce qui vous a facilité la tâche pour les vers à placer en ordre ? • Pouvez-vous me donner d'autres mots qui riment avec ceux du poème ? Avez-vous composé des phrases comportant ces mots ?	• Lesquels des comportements attendus ont été respectés ? • Lesquels ont été plus difficiles à respecter ? • Est-ce que vous avez bien joué votre rôle ? • Est-ce qu'il y avait des rôles plus difficiles à assumer que d'autres ? Lesquels ? • Est-ce que tous les membres de l'équipe étaient d'accord avec les réponses obtenues ? • Est-ce que vous vous êtes entraidés ? De quelle façon ?
PROLONGEMENT	Toujours en équipe, la facilitatrice ou le facilitateur notera les mots qui riment et les membres de l'équipe essaieront d'en trouver d'autres qui se terminent de la même façon. S'ils ont le temps, les élèves peuvent composer de courtes phrases comprenant ces mots. Il serait aussi intéressant qu'ils cherchent la signification des termes qu'ils ne comprennent pas. Prévoyez de 10 à 15 minutes pour cette brève analyse du poème.	

JULIE

Taches de rousseur et sentiments délicats,

Aux plus désespérés, tu redonnerais l'espoir,

Lorsque perdue à la dérive, je broie du noir,

Toujours en souriant, tu m'agrippes le bras.

Avec ton nez frondeur qui me dit : «Méfie-toi!»,

Tu m'ouvres gentiment les portes du vouloir,

Où j'errais seule le long des couloirs,

Mais je n'y crains rien, car tu es toujours avec moi.

En fixant tes yeux verts, je pressens ton ardeur,

Et je me sens prête à combattre mes humeurs,

Ton énergie me fait agir avec confiance,

Mais en ta présence, je manque souvent de patience.

Je t'aime comme tu es, taquine et mystérieuse,

Tu es ma sœur chérie, jolie mais capricieuse.

Geneviève

Variante : Il est évidemment possible de réaliser cette activité à partir de textes composés par les élèves.

Strophe I

Découpez chaque vers.

Taches de [_____] et sentiments délicats,

Aux plus [_____], tu redonnerais l'espoir,

Lorsque perdue à la [_____], je broie du noir,

[_____] en souriant, tu m'agrippes

le [_____].

Strophe 2

Découpez chaque vers.

Avec ton [   ] frondeur qui me dit :

« Méfie-toi ! »,

Tu [   ] gentiment les

[   ] du vouloir,

Où j'errais [   ] le long des couloirs,

Mais je n'y crains rien, car tu es toujours

[   ] moi.

Strophe 3

Découpez chaque vers.

En fixant tes yeux [   ] ,

je [   ] ton ardeur,

Et je me sens prête à [   ] mes humeurs,

Ton [   ] me fait agir avec confiance,

Mais en ta [   ] , je [   ]

souvent de patience.

Strophe 4

Découpez chaque vers.

Je [   ] comme tu es,

taquine et [   ],

Tu es ma sœur [   ],

[   ] mais capricieuse.

Mots manquants

Faites une photocopie par équipe et découpez chaque mot.

rousseur	verts
désespérés	pressens
dérive	combattre
Toujours	énergie
bras	présence
nez	manque
m'ouvres	t'aime
portes	mystérieuse
seule	chérie
avec	jolie

Corrigeons ensemble

Matière: français
Degré: 6e année du primaire
Équipes de: 4 élèves
Formation des équipes: par l'enseignante

Expérience en coopération: 1 – ❷ – 3 – 4
Temps prévu: environ 120 minutes
Mode d'interaction: seul, à deux, à quatre

Objectif relié au programme d'études

Développer des habiletés à corriger un texte.

Objectifs reliés à la coopération
(comportements, habiletés sociales)

- À consolider:
  - s'entraider;
  - faire consensus.

- À développer:
  - s'assurer de la compréhension de chacune et de chacun des membres de l'équipe.

Interdépendance positive

But commun

Corriger et améliorer un texte.

Autres moyens

- Consensus exigé;
- Partage des ressources matérielles (matériel partagé);
- Organisation spatiale

Responsabilité individuelle

- Adopter un des modes d'interaction;
- Tirer au sort les noms des porte-parole lors de la correction durant la séance plénière;
- S'assurer de la rotation du rôle de la scripteuse ou du scripteur.

Matériel et ressources

- Pour la classe:
  - 1 dé.
- Pour chaque équipe:
  - 1 copie du texte.
- Pour chaque élève:
  - 1 ensemble de six crayons de couleurs différentes;
  - 1 dictionnaire;
  - 1 texte à corriger.

Rétroaction

- Évaluation des objectifs reliés au programme d'études:
  - formative et qualitative en groupe-classe.

- Évaluation des objectifs reliés à la coopération:
  - observation par l'enseignante;
  - rétroaction lors de la séance plénière.

Cette activité a été créée à la demande d'une enseignante qui voulait amener ses élèves à corriger un texte, à l'améliorer par le travail d'équipe. En outre, on doit pratiquer cette activité régulièrement afin de développer les habiletés à corriger un texte.

Réunir le matériel nécessaire.

Présentation aux élèves et réalisation de l'activité

1. Annoncez aux élèves qu'ils travailleront en équipe pour la correction d'un texte. Pour bien travailler ensemble, ils doivent suivre certaines règles :
   a) s'entraider et s'assurer que tous les membres de l'équipe comprennent chacune des corrections avant de les inscrire sur la copie finale ;
   b) s'assurer que tous se sentent prêts à fournir une explication pour justifier les corrections ;
   c) inscrire, à tour de rôle, une correction sur la copie de l'équipe ;
   d) travailler avec les outils de référence (dictionnaire, guide de conjugaison, etc.).

2. Distribuez cinq copies d'un même texte, composé par une ou un élève, à chaque équipe. Le texte choisi doit comporter divers types d'erreurs : conjugaison, orthographe, ponctuation, formulation, accords du genre et du nombre. La longueur du texte peut varier selon les habiletés des élèves. Pour une première fois, un texte comportant cinq phrases peut suffire.

3. Demandez aux élèves de s'attribuer un numéro de un à quatre à l'intérieur de leur équipe.

4. Expliquez les étapes de la tâche.
   Les élèves effectuent d'abord un travail individuel. Ensuite, ils travaillent à deux (élèves 1 et 2 ensemble ; élèves 3 et 4 ensemble). Enfin, ils se regroupent en équipe de quatre.

5. Demandez aux élèves de corriger le texte selon un ordre et une couleur prédéterminés :
   a) la ponctuation en rose ;
   b) la structure des phrases en noir ;
   c) un mot à enlever ou à remplacer par un autre plus précis, plus original ou plus juste, et le vocabulaire à embellir en jaune ;
   d) l'accord des temps en bleu ;
   e) les accords en genre et en nombre des adjectifs et des noms en vert ;
   f) l'orthographe des mots en orange.

6. Chronométrez les étapes et annoncez aux élèves le moment où ils doivent passer à une autre étape. Par exemple :
   – prendre connaissance du texte, individuellement, 5 minutes ;
   – corriger individuellement la ponctuation en rose, 5 minutes ;
   – partager à deux les corrections, se mettre d'accord sur la ponctuation, 5 minutes ;
   – partager à quatre les corrections, se mettre d'accord sur la ponctuation finale en utilisant la feuille de l'équipe, 10 minutes.

Présentation aux élèves et réalisation de l'activité (*suite*)

Les élèves poursuivent jusqu'à ce que l'ensemble du texte soit corrigé selon les étapes mentionnées précédemment. Rappelez aux élèves qu'ils doivent s'entendre sur le texte final puisqu'un membre de chacune des équipes sera choisi au hasard pour venir expliquer à toute la classe une des corrections effectuées.

7. Corrigez le texte. Au hasard, à l'aide d'un dé, choisissez une équipe. En brassant le dé une deuxième fois, identifiez un membre de l'équipe sélectionnée et invitez-le à présenter une phrase corrigée. Ensuite, échangez avec les élèves sur les bénéfices et les limites de cette méthode de correction.

Évaluation des objectifs reliés au programme d'études	**Évaluation des objectifs reliés à la coopération**
• Est-ce que cette façon de corriger en équipe vous aide ? Si oui, comment ? Sinon, pourquoi ? • Sur quoi avez-vous eu le plus de difficultés à vous entendre : conjugaison, accords en genre, en nombre, etc. ?	• Y a-t-il quelqu'un qui a reçu de l'aide ? • Comment cela s'est-il manifesté ? • Y a-t-il quelqu'un qui a fourni de l'aide à un membre de son équipe ? • Comment cela s'est-il manifesté ? • Y a-t-il d'autres situations dans la vie de tous les jours où l'entraide est importante ?

Textes différents à chacune des équipes (séance plénière non appropriée).

Mieux se connaître
(activité de climat)

Matières: FPS, enseignement moral
Degrés: 4ᵉ - 5ᵉ - 6ᵉ année du primaire
Équipes de: 4 élèves
Formation des équipes: par l'enseignante

Expérience en coopération: 1 – ❷ – 3 – 4
Temps prévu: environ 120 minutes
Mode d'interaction: Chacun son tour

Objectifs reliés au programme d'études

- Nommer des faits liés à son vécu;
- Catégoriser.

Objectifs reliés à la coopération
(comportements, habiletés sociales)

- À consolider:
  • parler chacun son tour;
  • écouter les autres.
- À développer:
  • reconnaître les forces et les intérêts des autres.

Interdépendance positive

Buts communs

- Mieux se connaître;
- Faire une liste de catégories pour la classe.

Autres moyens

- Partage des ressources matérielles (matériel partagé);
- Partage des ressources humaines à l'aide de rôles:
  • lectrice ou lecteur;
  • chronométreuse ou chronométreur;
  • porte-parole;
  • secrétaire.

Responsabilité individuelle

- Participer chacun son tour;
- Assumer son rôle.

Matériel et ressources

- Pour chaque élève:
  • 3 languettes de papier;
  • 1 feuille de rétroaction.
- Pour chaque équipe:
  • 1 feuille «Consignes»;
  • 1 feuille mobile;
  • 1 crayon;
  • 1 feuille de rétroaction d'équipe.

Rétroaction

- Évaluation des objectifs reliés au programme d'études:
  • lors de la séance plénière.

- Évaluation des objectifs reliés à la coopération:
  • de l'équipe (*voir la feuille* «Évaluation de l'équipe»);
  • individuelle (*voir la feuille* «Auto-évaluation»);
  • lors de la séance plénière.

La veille de l'activité, distribuez trois languettes de papier par élève, et donnez-leur comme devoir d'y écrire trois faits qui les concernent. Chacune des phrases doit être écrite au présent de l'indicatif ou au passé composé. Par exemple : « J'aime les mets italiens », « J'aime le jazz. » ; « J'ai voyagé en Amérique du Sud. »

Présentation aux élèves et réalisation de l'activité

1. Présentez l'activité aux élèves en leur annonçant ses objectifs : mieux se connaître et se préparer à un travail individuel qui consistera à se présenter de manière originale en décrivant ses caractéristiques personnelles.
2. Démontrez aux élèves qu'ils doivent former des équipes de quatre. Choisissez trois élèves qui se joignent à vous pour former cette équipe.
3. Distribuez les rôles dans l'équipe :
   – secrétaire ;
   – porte-parole ;
   – chronométreuse ou chronométreur ;
   – lectrice ou lecteur.
4. Expliquez la tâche.
   Chaque membre de l'équipe dépose ses languettes de papier au centre de la table de façon à ne pas voir l'écriture. Tous tirent trois languettes. À tour de rôle, chaque membre lit un énoncé et émet une hypothèse concernant son auteure ou auteur jusqu'à ce qu'elle ou il le trouve.
   Exemples :   « J'ai vu des bélugas dans le Saint-Laurent.
                  – Je crois que c'est Pierre qui a écrit cela. Vrai ?
                  – Non, répond Pierre.
                  – Alors, je crois qu'il s'agit d'Anne-Marie. »
   Après avoir identifié l'auteure ou l'auteur, les élèves, à tour de rôle, lui adressent une question dans le but de mieux la ou le connaître.
   Exemple :   « Quand as-tu vu ces bélugas ? » demande Carlos.
                « As-tu eu peur ? », demande Pierre.
                « Préfères-tu la mer ou la montagne ? », demande Laurie.
   Après avoir répondu aux trois questions, on poursuit par la lecture d'un autre fait, et ainsi de suite.
   Enfin, on indique aux élèves comment faire la liste des catégories d'intérêt ou des caractéristiques personnelles. Pour chaque fait en main, on tente de nommer la catégorie appropriée.
   Exemples :   « J'ai voyagé en Amérique du Sud. » Catégorie : voyage.
                « J'aime le chocolat. » Catégorie : goûts alimentaires.
5. Précisez le temps prévu pour l'activité ainsi que les comportements attendus.
6. Observez le travail des équipes et aidez-les au besoin.
7. Demandez à la ou au porte-parole de chacune des équipes de se rendre au tableau et d'inscrire les catégories trouvées par son équipe. Invitez les élèves à s'inspirer de cette liste pour préparer leur présentation future.

RÉTROACTION	Évaluation des objectifs reliés au programme d'études	Évaluation des objectifs reliés à la coopération
	• Qu'avez-vous découvert en réalisant cette activité ? • Avez-vous appris quelque chose ? • Pouvez-vous expliquer la différence entre un fait et une opinion ? • Que veut dire « catégoriser » ?	• Quelles étaient les forces de votre travail d'équipe ? • Quelles difficultés avez-vous rencontrées ? • Comment les avez-vous surmontées ?

PROLONGEMENT

Les équipes qui terminent avant les autres pourraient :

a) trouver un point commun aux quatre membres de l'équipe à partir de ce qui a été dit au cours de l'activité ;

b) faire des hypothèses sur ce que l'enseignante aurait dit elle-même pour les catégories trouvées, par exemple dans la catégorie « sport » : « Je suppose que notre prof pourrait aimer le ski. » ;

c) faire une liste de suggestions quant à la manière de faire sa présentation future, par exemple faire des affiches, des photos, des mobiles, une ligne du temps, etc.

Consignes

Matériel nécessaire :

– Pour la lectrice ou le
   lecteur : cette feuille de
   consignes.

– Pour la ou le secrétaire :
   une feuille intitulée
   « Catégories » et
   un crayon.

– Les trois languettes
   de papier préparées
   préalablement par
   chaque élève.

1. Attribuez les rôles parmi les membres de l'équipe.

2. Déposez au centre de la table les languettes de façon à ne pas voir l'écriture.

3. Tirez chacun trois languettes.

4. À tour de rôle, lisez un énoncé et formulez une hypothèse sur la personne qui l'a écrit, jusqu'à ce que vous puissiez l'identifier.

5. À tour de rôle, les élève posent une question à l'auteure ou à l'auteur sur l'énoncé mentionné dans le but d'en savoir plus à son sujet.

6. L'échange se poursuit jusqu'à ce que tous les énoncés aient été lus et leurs auteurs identifiés.

7. En équipe, à tour de rôle, chaque élève lit ses énoncés et tente de trouver la catégorie appropriée. La ou le secrétaire les note.

8. À tour de rôle, la ou le porte-parole de chacune des équipes inscrit au tableau les catégories trouvées.

Auto-évaluation

Nom : _____ Date : _____

Activité : _____ Équipe : _____

Crois-tu que les membres de ton équipe te connaissent
un peu mieux ?

Pourquoi ? _____ Oui ❑   Non ❑

_____

_____

_____

Aimerais-tu encore travailler avec cette
équipe ?

Oui ❑   Non ❑

Pourquoi ? _____

_____

_____

_____

Est-ce que les membres de
ton équipe respectaient le
tour de parole de chacune
et de chacun ?

Oui ❑   Non ❑

Quelle partie de l'activité était la plus difficile ?

_____

_____

_____

_____

Quelle partie de l'activité était la plus
intéressante ?

_____

_____

_____

_____

_____

Évaluation de l'équipe

Nom : _____ Date : _____

Activité : _____ Équipe : _____

Avons-nous respecté le droit de parole de chacune et de chacun ?

Oui ❑ Non ❑

Commentaires : _____

_____

_____

_____

Avons-nous tous bien joué notre rôle ?

Oui ❑ Non ❑

Commentaires : _____

_____

_____

_____

Si nous travaillons ensemble une prochaine fois,
notre défi pour mieux travailler en équipe serait…

_____

_____

_____

_____

Le pour ou le contre

Matière : français
Degrés : 6ᵉ année du primaire ; secondaire
Équipes de : 4 élèves
Formation des équipes : par l'enseignante

Expérience en coopération : 1 – 2 – 3 – ❹
Temps prévu : environ 120 minutes
Mode d'interaction : controverse

Objectifs reliés au programme d'études

– Analyser un texte, y repérer des éléments appuyant son point de vue ;

– Trouver des arguments pour défendre son opinion ;

– S'exprimer clairement.

Objectifs reliés à la coopération
(comportements, habiletés sociales)

– À consolider :
  • écouter les autres ;
  • respecter l'opinion de l'autre ;
  • participer activement.

  – À développer :
    • faire consensus en critiquant les idées, non les personnes, en reformulant la pensée adverse et en considérant plusieurs points de vue.

Interdépendance positive

But commun

Faire consensus autour d'une situation controversée où deux points de vue s'affrontent.

Autres moyens

– Mode d'interaction approprié ;

– Organisation spatiale.

Matériel et ressources

– Pour la classe :
  • 1 texte ou une histoire comportant une controverse (*voir les suggestions à la page 99*).

– Pour chaque dyade :
  • 1 feuille et un crayon.

– Pour chaque équipe de 4 :
  • 1 feuille et un crayon.

Responsabilité individuelle

– Défendre un point de vue ;

– Contribuer à la recherche d'un consensus ;

– Signer le travail.

Rétroaction

– Évaluation des objectifs reliés au programme d'études :
  • lors de l'échange après l'activité.

– Évaluation des objectifs reliés à la coopération :
  • individuelle par la feuille « Auto-évaluation » ;
  • en classe par la discussion.

Cette activité développe des habiletés d'analyse, de synthèse et d'évaluation. Elle permet aux élèves de défendre un point de vue. Mieux encore, elle apporte une certaine souplesse du raisonnement puisque les élèves doivent à un moment de l'activité adopter le point de vue opposé aux leurs. Cette activité gagne à être pratiquée plusieurs fois ; les élèves profitent ainsi de leur expérience « à discuter intelligemment ».

– Choisir un livre qui contient une controverse.
– Relever une question et deux points de vue possibles qui se rapportent au texte choisi.

Présentation aux élèves et réalisation de l'activité

1. Placez les élèves en équipes de quatre. Demandez-leur de se numéroter de 1 à 4.
2. Annoncez aux élèves que deux positions seront discutées. Par exemple, après la lecture d'un article de journal sur la chasse aux phoques, les élèves 1 et 2 défendront le point de vue suivant : « Il faut permettre la chasse aux phoques pour contrôler la surpopulation de cette espèce et protéger la morue. » ; les élèves 3 et 4 défendront le point de vue contraire : « Il faut empêcher la chasse aux phoques. » Pendant la lecture, les élèves devront prendre note des éléments appuyant leur position de manière à présenter un court exposé justifiant leur point de vue.
3. Lisez le texte choisi à toute la classe. Relisez au besoin selon la capacité des élèves à prendre des notes et selon leur habileté d'écoute.
4. Annoncez la durée et la méthode de discussion.
5. Expliquez la tâche. Les élèves 1 et 2 s'assoient face aux élèves 3 et 4. Les élèves 1 et 2 présentent leur point de vue, les élèves 3 et 4 écoutent sans intervenir et prennent note des arguments avancés par la « position adverse ». Cette étape ne doit pas dépasser cinq minutes. Ensuite, les élèves 3 et 4 procèdent de même durant cinq minutes. Dès lors, la discussion est ouverte. Les élèves peuvent s'interroger sur leur position respective, mettre l'accent sur certains arguments pour justifier avec plus de vigueur leur point de vue. Cette dernière étape ne doit pas excéder cinq minutes.
6. Annoncez aux élèves qu'ils doivent maintenant « changer de camp ». Les élèves 1 et 2 échangent leurs sièges avec les élèves 3 et 4. À tour de rôle, les équipes de deux élèves résument leur nouvelle position. Cette étape dure 10 minutes.
7. Demandez à chaque équipe de quatre élèves de réconcilier les deux points de vue, d'écrire en faisant consensus quatre ou cinq phrases qui expriment un rapprochement entre les deux positions, une nouvelle perspective. Proposez les phrases suivantes

« Nous sommes d'avis que… »

« Voilà pourquoi nous appuyons   « Pourquoi pensez-vous que… »
ce point de vue : … »   « Votre position c'est que… »

« Nous croyons avoir raison parce que… » « Vos arguments sont les suivants… »

« Nous sommes persuadés que… »   « Ensemble notre point de vue est… »

Tous les membres de l'équipe doivent signer le résumé écrit exprimant ainsi leur accord avec le contenu, leur compétence individuelle à l'expliquer et leur approbation du résultat final.

Inspiré de D.W. JOHNSON, R.T. JOHNSON et E. HOLUBEC, *Advanced Cooperative Learning*, Edina (Minnesota), Interaction Book Company, 1992, p. 5, 12, 14.

Évaluation des objectifs reliés au programme d'études	Évaluation des objectifs reliés à la coopération
<ul><li>Qu'avez-vous appris par la lecture de ce texte ?</li><li>Avez-vous trouvé facile de parler clairement pour vous faire comprendre ? Sinon, qu'est-ce que vous avez trouvé difficile ?</li><li>Aviez-vous suffisamment d'arguments pour bien défendre votre position ?</li><li>Quels arguments étaient semblables dans les présentations des équipes ?</li></ul>	<ul><li>Pourquoi pensez-vous qu'il est difficile de faire consensus ?</li><li>Qu'est-ce qui a facilité le consensus dans votre équipe ?</li><li>Est-ce que cette façon de discuter vous semble utile ?</li><li>Quels moyens avez-vous pris pour que l'autre personne soit certaine que vous critiquiez seulement ses idées, non la personne (ici on peut faire un tableau en T) ?</li><li>Y a-t-il des situations dans la vie de tous les jours où il est souhaitable de faire consensus ?</li><li>Comment vous sentiez-vous lorsque ensemble, à quatre, vous avez tenté une réconciliation de vos points de vue divergents ?</li><li>Que pensez-vous de cette façon de discuter ensemble ?</li></ul>

RÉTROACTION

SUGGESTIONS DE LECTURE

VINCENT, Gabrielle. *Je voudrais qu'on m'écoute*, Paris, Casterman, «Les albums Duculot», 1995.

Thèmes : solitude, fugue, conflits familiaux, tristesse, manque d'amour.

Positions :
a) cette histoire est triste ;
b) cette histoire est remplie d'espoir.

BROWN, LEACH, N. *La marâtre,* Kaléidoscope, L'école des Loisirs, 1992.

Thèmes : famille reconstituée, solitude, difficulté de communication, réconciliation.

Positions :
a) le jeune garçon a raison de détester la marâtre ;
b) le jeune garçon a tort de détester la marâtre.

Auto-évaluation

Nom : _____ Date : _____

Encercle ta réponse :

		Pas du tout	Un peu	Beaucoup
1	J'ai eu le sentiment qu'on m'écoutait	0	1	2
2	J'ai écouté les autres.	0	1	2
3	J'ai participé avec intérêt à cette activité.	0	1	2
4	J'ai eu le sentiment qu'on m'attaquait pendant la discussion.	0	1	2
5	J'ai participé à la recherche de consensus.	0	1	2
6	J'ai été capable de reformuler la position de l'équipe « adverse ».	0	1	2

Commentaires, réactions :

_____

_____

_____

_____

_____

Drôle de problème !

Matière : mathématiques
Degrés : 4ᵉ - 5ᵉ - 6ᵉ année du primaire ;
secondaire I
Équipes de : 2 élèves
Formation des équipes : par l'enseignante

Expérience en coopération : I – ❷ – 3 – 4
Temps prévu : environ 80 minutes
Modes d'interaction : formuler, partager,
écouter, créer

Objectifs reliés au programme d'études

- Amener les élèves à inférer des informations en lecture ;
- Résoudre des problèmes en interprétant des données ;
- Établir des relations logiques à partir d'indices ou de consignes.

Objectifs reliés à la coopération
(comportements, habiletés sociales)

- À consolider :
  • rester dans son équipe ;
  • accepter sa ou son partenaire ;
  • parler à voix basse ;
  • bien jouer son rôle.

  – À développer :
  • pratiquer l'écoute active ;
  • partager ses idées ;
  • s'entraider ;
  • se concerter ;
  • participer activement.

Interdépendance positive

Buts communs

- Savoir reconnaître un problème impossible à résoudre ;
- Apprendre à différencier des données pertinentes de données inutiles ;
- Modifier un problème pour qu'il soit possible de le résoudre.

Autres moyens

- Partage des ressources matérielles (matériel restreint) ;
- Partage des ressources humaines à l'aide de rôles :
  • lectrice ou lecteur ;
  • scripteuse ou scripteur.
- Organisation spatiale :

Responsabilité individuelle

- Adopter le mode d'interaction approprié :
  • essayer de résoudre le problème individuellement ;
  • expliquer sa solution ;
  • écouter celle de sa ou son partenaire ;
  • effectuer des modifications en équipe.
- Être prêt à répondre aux questions.

Matériel et ressources

- Pour chaque équipe :
  • 2 photocopies de chaque feuille de problèmes ;
  • I feuille de consignes.
- Pour la classe :
  • I rétroprojecteur ;
  • I transparent de chacun des problèmes (avec et sans la question) et de l'énigme ;
  • des crayons à transparents ;
  • l'énigme écrite au tableau ;
  • cartons avec rôles ;
  • noms à tirer.

Rétroaction

- Évaluation des objectifs reliés au programme d'études :
  • formative du déroulement et du produit de l'activité lors de la séance plénière.
- Évaluation des objectifs reliés à la coopération :
  • formative et qualitative sur le travail en équipe, à partir des observations de l'enseignante.

– Placer les bureaux côte à côte sans toutefois les coller, car la première partie de la tâche se fait individuellement.
– Prévoir un transparent de chacun des problèmes ainsi qu'un autre transparent sur lequel n'apparaîtra que l'énoncé.
– Faire deux photocopies des problèmes, soit une avec et une sans la question, pour chacune des équipes.

Première étape (mise en train)

1. Demandez aux élèves de lire l'énigme présentée au rétroprojecteur et de tenter de la résoudre. Discutez, après quelques minutes de réflexion, des solutions ou des tentatives de solutions qu'ils apportent.
2. Après environ cinq minutes de discussion, écrivez les réponses possibles au tableau. Mentionnez qu'il faut parfois se questionner longuement pour pouvoir solutionner une énigme.

Deuxième étape (travail individuel)

3. Précisez ce qui constitue une phrase mathématique acceptable. (Par exemple, ne pas additionner des personnes avec des fruits et ne pas effectuer les opérations les unes à la suite des autres mais plutôt en étapes. Ne pas procéder ainsi : $27 + 6 \times 3 + 4 - 11$.)
4. Distribuez aux membres de chaque équipe une feuille comprenant deux problèmes, le premier avec une question et le deuxième sans question, ainsi qu'une feuille pour noter les réponses, les calculs et le raisonnement. (Par exemple, Julie travaille en équipe avec Meriem. Chacune reçoit les problèmes 1 et 2, et tente dans un premier temps de répondre au problème 1. Chaque dyade reçoit une feuille de problèmes différente et procède de même.) Vous trouverez dans les pages qui suivent des problèmes différents pour sept équipes. La huitième équipe aura la même feuille de problèmes que la première et ainsi de suite.
5. Supervisez le travail individuel pendant environ cinq minutes.

Troisième étape (travail en équipe)

6. Expliquez brièvement les rôles de lectrice ou de lecteur et de scripteuse ou de scripteur. Mentionnez les objectifs reliés à la coopération et écrivez-les au tableau. Mentionnez aux élèves qu'on leur posera des questions au hasard et que le temps disponible pour chaque partie de l'activité sera précisé. Prévoyez environ 10 minutes d'explications.
7. Ramassez une feuille « Problèmes » de sorte qu'ils n'en ont maintenant qu'une par équipe et distribuez la feuille « Consignes ».
8. Assignez les rôles au hasard. (Par exemple les élèves assis à droite seront les lecteurs.)
9. Expliquez la première tâche.
   Les élèves doivent d'abord *échanger*. Deux par deux, ils s'expriment sur la réponse préalablement obtenue. Chaque élève explique et écoute ensuite. Elle ou il donne son opinion pendant environ deux minutes. On doit superviser ces échanges.
   Ensuite, on réunit les élèves et on leur demande leur solution en tirant des noms au hasard. S'ils ne l'ont pas déjà compris, il faut leur faire comprendre que les problèmes sont impossibles à résoudre.

DÉROULEMENT

Troisième étape (travail en équipe) (*suite*)

Enfin, les élèves sont appelés à *créer*. On leur explique alors qu'ils doivent essayer de modifier les problèmes afin qu'il soit possible de répondre à la question posée. Il faut prévoir dix minutes pour ces échanges et les observer. La scripteuse ou le scripteur note les changements à effectuer sur la feuille. On réunit à nouveau les élèves qui donnent leurs commentaires à l'aide des transparents.

10. Expliquez la deuxième tâche.

Les élèves sont encore une fois appelés à *créer*. Au sein de la même équipe, on alterne les rôles : la lectrice ou le lecteur devient scripteuse ou scripteur et vice-versa. On leur demande ensuite de lire l'énoncé du deuxième problème, soit celui qui ne comporte pas de question.

Ils doivent d'abord biffer individuellement une donnée qu'ils considèrent inutile. Puis, en équipe, ils devront comparer leur réponse et essayer de composer une question qui a un lien avec le problème modifié.

RÉTROACTION

Lors de la séance plénière, questionnez les élèves sur les réponses obtenues pour chacune des deux tâches. Tirez des noms au hasard, demandez aux élèves quel était leur problème et placez le transparent correspondant sur le rétroprojecteur. Allouez environ 20 minutes de discussion, soit 10 minutes par tâche.

Évaluation des objectifs reliés au programme d'études	Évaluation des objectifs reliés à la coopération
• Qui savait que le premier problème était impossible à résoudre ? • Si vous avez essayé de résoudre le problème du début, pouvez-vous expliquer votre raisonnement et la phrase mathématique obtenue ? • De quelle façon avez-vous modifié les problèmes pour que l'on puisse répondre à la question ? • Pour le deuxième problème, donnez des exemples de données inutiles et de questions.	• Lesquels des objectifs reliés à la coopération ont été bien respectés ? • Lesquels ont été plus difficiles à respecter ? • Est-ce que vous avez parlé à tour de rôle ? • De quelle façon vous êtes-vous entraidés ? • Est-ce que vous vous êtes concertés ? Avez-vous fait les changements ensemble ? • Comment pouvez-vous savoir que votre partenaire vous écoutait ? • Qu'est-ce qui vous a plu ou déplu dans cette activité ?

Consignes

Les objectifs à développer sont :

– l'**entraide** (ce qui ne veut pas dire « donner la réponse ») ;

– l'**écoute active** ;

– la **concertation** (décider ensemble). On vous posera des questions au hasard afin qu'il n'y ait pas juste une personne qui comprenne. Il faut que les deux membres de l'équipe participent activement. N'hésitez pas à vous référer aux cartons pour la description des rôles ;

– le **partage des idées** ;

– la **participation active.**

Déroulement de la première tâche

1. Formulez une réponse individuellement et en silence (5 minutes).

2. En équipe, partagez la réponse obtenue. Chacun explique son raisonnement (2 minutes).

3. Écoutez votre partenaire (2 minutes).

4. Modifiez le problème pour qu'il soit possible de répondre à la question. Entraidez-vous, concertez-vous, pratiquez l'écoute active, décidez ensemble (10 minutes).

Déroulement de la deuxième tâche

1. Rayez une donnée inutile individuellement (2 minutes).

2. En équipe, partagez la réponse. Exprimez votre opinion (2 minutes).

3. Écoutez votre partenaire (2 minutes).

4. Composez une question ensemble à laquelle il est possible de répondre à partir des informations données (4 minutes).
   Durée : environ 30 minutes.

Lorsque l'enseignante lève la main, vous devez tout arrêter et écouter attentivement.

Énigme

Dans une chaloupe, située à 500 mètres de la berge,
se trouvent deux mères et deux filles.
Toutefois, il y a moins de quatre personnes
dans cette embarcation.

Combien sont-elles ? Explique.

Problème 1

Première tâche

Dans un autobus pouvant transporter 25 personnes qui parcourt la route entre Québec et Trois-Rivières, il y a 6 hommes de Montréal, des femmes de Saint-Hyacinthe et des hommes de Sherbrooke.

Combien y a-t-il de femmes dans cet autobus ?

_____

_____

_____

Problème 2

Deuxième tâche

Ce matin, mon réveil a sonné bruyamment à 6 h 15, mais je ne me suis tirée du lit que 30 minutes plus tard. Au retour de l'école, j'ai consacré une heure à faire mes devoirs et une autre à écouter la télévision, soit de 19 heures à 20 heures.

À quelle heure me suis-je couchée ? _____

Problème 3

Première tâche

Les activités parascolaires débutent demain. J'ai appris que nous sommes 9 élèves inscrits au ballon-panier et 12 en natation. Il y a le même nombre de filles que de garçons dans cette activité. Mon ami Alexandre, avec qui je joue souvent au soccer, y est inscrit.

Si nous sommes 30 élèves à participer au total, combien y a-t-il de filles qui sont inscrites à l'activité des échecs ? _____

Problème 4

Deuxième tâche

Pendant le mois de janvier, j'ai célébré l'anniversaire de deux de mes voisins qui ont eu 10 ans ainsi que celui de ma sœur de troisième année qui a reçu des patins.

Quel âge vais-je avoir au mois de janvier l'an prochain ? _____

Problème 5

Première tâche

Dans la cuisine d'un excellent restaurant situé en plein cœur du centre-ville, Claude perfectionne une recette comprenant huit cailles, recette à laquelle il travaille depuis bientôt quatre ans.

En quelle année Claude a-t-il terminé ses études ?

_____

Problème 6

Deuxième tâche

Sur la rue Tassé, il y a trois immeubles de quatre étages ainsi que six duplex (immeubles à deux étages) dont un est construit en brique rouge et date de plusieurs années. En face de ma maison, ils viennent de terminer un immeuble de six étages.

Combien y a-t-il d'immeubles de deux étages sur ma rue ? _____

Noms : _____ Date : _____

Problème 7

Première tâche

Aux galeries Saint-Laurent, j'ai vu un nouveau magasin dans lequel on trouve toutes sortes de choses intéressantes. Je me suis acheté trois feuilles de 12 collants à 3 $ la feuille ainsi qu'un paquet de 6 crayons à mine.

Si j'avais les 25 $ que ma tante Linda m'a donnés à Noël, combien me reste-t-il d'argent si elle demeure sur la rue Thimens ? _____

Problème 8

Deuxième tâche

Dans un train pouvant contenir environ 800 passagers et qui se rend à destination de New York en 10 heures, j'ai dormi pendant les 3 dernières heures.

Combien de passagers y a-t-il dans mon wagon qui est le cinquième à partir de la queue ?

_____

Noms:_____ Date:_____

Problème 9

Première tâche

Sur un navire qui parcourt le golfe entre
Terre-Neuve et l'Île-du-Prince-Édouard,
on a embarqué 12 caisses d'oranges
de la Floride, des caisses de bananes
et des oranges du Maroc.

Combien y a-t-il de caisses d'oranges si la
pièce où on les entrepose peut contenir
jusqu'à 20 caisses? _____

Problème 10

Deuxième tâche

Ce soir, mes parents, qui doivent ensuite me reconduire à mon cours de ballet
à 19 h 30, m'ont demandé de faire quelques achats pour le souper. J'ai
ramené des pâtes, des poivrons, des tomates et le tout m'a coûté 8,10 $.
Ils ne m'ont donné que 10 dollars, mais heureusement j'avais assez d'argent
dans mes poches pour nous acheter à chacun une tablette de chocolat.

Combien d'argent me reste-t-il? _____

Problème 11

Première tâche

Afin de pouvoir participer à la classe de neige, nous devons ramasser 1000 $. Les élèves ont donc organisé deux ventes de pâtisseries qui nous ont rapporté 700 $. Une joute de quilles nous a permis de ramasser 200 $ et la vente de calendriers dessinés au pastel avec Brigitte, notre enseignante d'arts plastiques, nous a permis d'obtenir 200 $.

Combien de calendriers avons-nous vendus ?

Problème 12

Deuxième tâche

Cette fin de semaine, cela fera 10 ans que mon cousin Michel a rencontré son épouse Catherine. Ils ont deux beaux enfants aux yeux couleur noisette qui ont deux ans de différence d'âge.

En quelle année mon cousin et son épouse se sont-ils mariés ?

_____

Problème 13

Première tâche

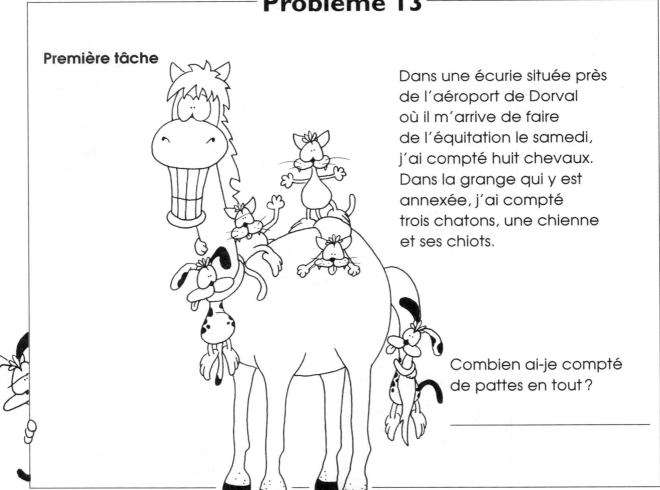

Dans une écurie située près de l'aéroport de Dorval où il m'arrive de faire de l'équitation le samedi, j'ai compté huit chevaux. Dans la grange qui y est annexée, j'ai compté trois chatons, une chienne et ses chiots.

Combien ai-je compté de pattes en tout?

_____

Problème 14

Deuxième tâche

Un de mes amis, avec qui j'ai étudié au cégep Bois-de-Boulogne en 1983, participe à plusieurs marathons. Chaque jour, il s'entraîne. Ainsi, il court pendant deux heures et fait aussi de la musculation une fois par semaine.

Si le marathon a lieu dans 23 jours, combien d'heures aura-t-il consacrées à son entraînement? _____

Quel défi !

Matière : mathématiques
Degrés : 5e - 6e année du primaire ; secondaire
Équipes de : 4 élèves
Formation des équipes : par l'enseignante

Expérience en coopération : 1 – ❷ – 3 – 4
Temps prévu : environ 60 minutes
Modes d'interaction : la roulette ;
chacun son tour.

Objectifs reliés au programme d'études

– Utiliser les étapes d'une démarche de résolution de problèmes en mathématiques ;

– Imaginer quelques façons d'appliquer cette démarche dans les problèmes de la vie courante.

Objectifs reliés à la coopération
(comportements, habiletés sociales)

– À consolider :
  • participer chacun son tour ;
  • respecter l'idée de l'autre ;
  • se soucier de la réussite de l'autre ;
  • faire consensus.

– À développer :
  • justifier son opinion ;
  • exprimer son accord et son désaccord ;
  • reformuler l'idée de l'autre.

Interdépendance positive

But commun

Résoudre quatre problèmes mathématiques en utilisant les étapes de la résolution de problèmes.

Autres moyens

– Partage des ressources matérielles (matériel restreint)

– Organisation spatiale (*voir la préparation*).

Matériel et ressources

– Pour chaque équipe :
  • 1 papier brouillon,
  • 1 feuille « Les quatre étapes d'une démarche de résolution de problèmes en mathématiques »,
  • 4 « Feuilles d'équipe »,
  • 1 feuille « Problèmes » ;

– Pour la classe :
  • centicubes, bâtonnets, cure-dents, colle, ficelle, etc,
  • 1 « Corrigé ».

Responsabilité individuelle

– Adopter le mode d'interaction approprié.

– Choisir une ou un porte-parole au hasard ;

– Compléter l'évaluation individuelle reliée aux objectifs d'apprentissage.

Rétroaction

– Évaluation des objectifs reliés au programme d'études :
  • formative et qualitative en équipe.

– Évaluation des objectifs reliés à la coopération :
  • formative et qualitative lors de la séance plénière.

Cette activité donne à l'élève l'occasion de pratiquer plusieurs approches pour résoudre des problèmes variés qui font partie de la vie courante. Les élèves devront avoir appris comment procéder selon les quatre étapes de la résolution de problèmes.

– Disposez quatre chaises autour d'un seul pupitre de façon à faciliter l'utilisation de la roulette.
– Photocopiez pour chaque équipe une feuille de résolution de problèmes (*voir* « Les quatre étapes d'une démarche de résolution de problèmes en mathématiques »), quatre « Feuilles d'équipe » et une feuille « Problèmes ».

Présentation aux élèves et réalisation de l'activité

1. Présentez les habiletés coopératives. Enseignez comment exprimer son désaccord par un jeu de rôles. (*voir dans la fiche 5* « Le développement des habiletés coopératives : encourager les autres à participer » *p. 180*).
2. Formez des équipes hétérogènes.
3. Distribuez le matériel et précisez la durée de l'activité (environ 40 minutes).
4. Expliquez la tâche.
   En équipe, les élèves doivent résoudre quatre problèmes en suivant une démarche et en utilisant des stratégies et des moyens divers. Ensuite, ils auront à résoudre des problèmes semblables individuellement.
   La feuille-roulette comporte 4 numéros, chacun représentant une étape d'une démarche de résolution de problèmes en mathématiques. Chaque élève joue le rôle correspondant au numéro devant lequel elle ou il est assis. L'élève n° 1 lit et remplit le rôle de scripteur, et ce, pour toutes les étapes. À tour de rôle, les élèves assument la tâche indiquée sur la roulette. L'équipe fait consensus à chaque étape. Chacun doit s'assurer que tous les membres de l'équipe aient bien compris puisqu'on désigne une ou un porte-parole au hasard parmi eux pour présenter au groupe-classe les stratégies et les moyens trouvés pour résoudre leur problème.
   Si l'élève n° 3 éprouve des difficultés à trouver des stratégies pour résoudre le problème, les autres membres de l'équipe proposent, à tour de rôle, une solution. L'élève n° 4 résout le problème sur une feuille brouillon. L'élève n° 1 (la scripteure ou le scripteur) consigne la réponse sur la feuille d'équipe après avoir vérifié si tous les membres sont d'accord. On aborde le deuxième problème de la même façon, après avoir fait tourner la roulette d'un quart de tour ; chaque élève assume maintenant une nouvelle fonction.
5. Supervisez le travail d'équipe et observez la pratique des habiletés sociales visées. À la moitié de l'étape, on peut interrompre le travail des groupes afin de vérifier si toutes les équipes sont sur la bonne voie.
6. Choisissez au hasard une équipe de même qu'une ou un porte-parole qui communiquera à l'ensemble de la classe les stratégies et les moyens que les membres de son équipe ont retenus pour résoudre le premier problème. Les porte-parole des autres équipes complètent si nécessaire. Pour chacun des problèmes suivants, une autre équipe explique sa démarche.

RÉTROACTION	**Évaluation des objectifs reliés au programme d'études**	**Évaluation des objectifs reliés à la coopération**
	En équipe, les élèves s'interrogent et la scripteuse ou le scripteur (celle ou celui qui, au dernier problème, assumait le rôle de lecteur) écrit les réponses trouvées. Allouez environ 10 minutes. • Quelles stratégies et quels moyens avons-nous privilégiés pour résoudre les problèmes ? • Cette façon de résoudre des problèmes peut-elle nous servir dans d'autres situations de la vie quotidienne ? Si oui, peut-on en nommer quelques-unes ? Chaque équipe affiche sa feuille de rétroaction et prend ensuite connaissance des découvertes des autres.	• Quels termes avons-nous utilisés pour exprimer notre désaccord ? • De quelle manière avons-nous procédé pour justifier notre opinion ? • Comment avons-nous réussi à établir un consensus ?
PROLONGEMENT	Dans une autre période de travail, chaque élève pourrait résoudre cinq problèmes en appliquant la démarche de résolution de problèmes. Critère de réussite : 4 sur 5.	

Les quatre étapes d'une démarche de résolution de problèmes en mathématiques*

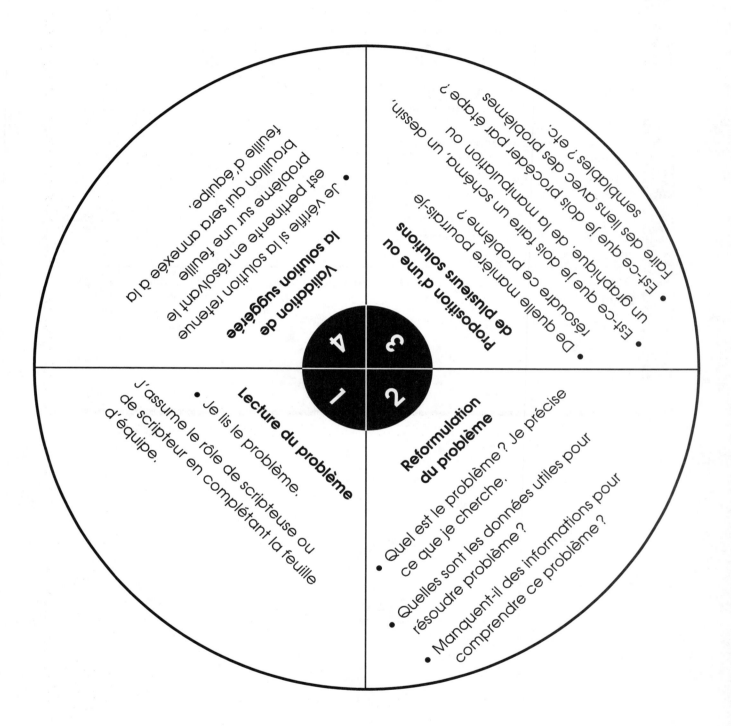

Validation de la solution suggérée

- Je vérifie si la solution retenue est pertinente en résolvant le problème sur une feuille, brouillon qui sera annexée à la feuille d'équipe.

Proposition d'une ou de plusieurs solutions

- De quelle manière pourrais-je résoudre ce problème ?
- Est-ce que je dois faire un schéma, un dessin, un graphique, de la manipulation ou ... ?
- Est-ce que je dois procéder par étape ?
- Faire des liens avec des problèmes semblables ? etc.

Lecture du problème

- Je lis le problème.
- J'assume le rôle de scripteur ou de scripteuse en complétant la feuille d'équipe.

Reformulation du problème

- Quel est le problème ? Je précise ce que je cherche.
- Quelles sont les données utiles pour résoudre problème ?
- Manquent-il des informations pour comprendre ce problème ?

---

* Ces étapes sont applicables à d'autres domaines.

ACTIVITÉS

Feuille d'équipe

Noms: _____   _____

_____   _____

Date: _____   Problème n° _____

1. Lecture du problème

2. Reformulation du problème

   - Ce que je cherche:

   _____

   _____

   - Les données utiles à la résolution du problème:

   _____

   _____

   - Les informations manquantes, mais qui seraient utiles pour comprendre ce problème:

   _____

   _____

3. Proposition de solutions au problème

   - Les moyens que j'utiliserais pour résoudre ce problème:

   _____

   _____

4. Validation de la solution suggérée

   - Réponse au problème

   _____

   _____

Problèmes

1. François est assis à la table pour le dîner, mais il semble rêveur. Il cherche un moyen de former 6 carrés avec 12 cure-dents. Peux-tu l'aider?

2. Il est midi (12 h) et les spectateurs commencent déjà à arriver au cinéma Berri. Après 5 minutes (12 h 05), 6 personnes sont en ligne. Cinq minutes plus tard (12 h 10), il y a 11 personnes qui attendent. À la fin des premières 15 minutes (12 h 15), il y a 16 personnes. Si les gens continuent à arrriver à la même cadence, quelle heure sera-t-il quand il y aura 81 personnes en ligne?

3. L'équipe de balle-molle de Julie pourrait se diviser en 4 groupes: $\frac{1}{2}$ des joueurs sont d'excellents frappeurs, $\frac{1}{4}$ sont de bons lanceurs, $\frac{1}{8}$ sont voltigeurs et 2 joueurs sont receveurs. Si chacun se retrouve dans un seul groupe, combien de joueurs y a-t-il dans l'équipe et combien y en a-t-il dans chaque groupe?

4. Voici le modèle d'une boîte qui contient 24 petits cubes identiques. Combien de ces petits cubes peut-on placer dans une autre boîte dont la hauteur, la largeur et la longueur sont le double de celles de la première boîte?

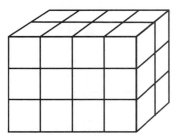

Les problèmes 1 à 3 sont adaptés de Gloria MORETTI, Mark STEPHENS, Judy GOODNOW, Shirley HOOGEBOOM, *The Problem Solver 6, Activities For Learning Problem-Solving Strategies*, Creative Publications, 1987. Le problème 4 est tiré de Commission scolaire Baldwin-Cartier, *Mathématiques 6e année, Banque de questions PC2*, 1992.

Corrigé

1. Les élèves peuvent dessiner un cube. Il existe d'autres possibilités.

2.

Heure	12h5	12h10	12h15	12h20	12h25	12h30	12h35	12h40
Gens en ligne	6	11	16	21	26	31	36	41

Heure	12h45	12h50	12h55	13h	13h5	13h10	13h15	13h20
Gens en ligne	46	51	56	61	66	71	76	81

3. Solution :

   Frappeurs, 8

   Lanceurs, 4

   Voltigeurs, 2

   Receveurs, 2

   Une équipe de 16 joueurs.

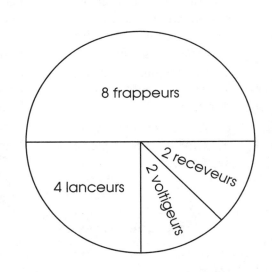

4. 192 cubes.

Apprendre à mieux lire entre les lignes

Matière : mathématiques
Degrés : 4ᵉ-5ᵉ-6ᵉ année du primaire ;
1ʳᵉ secondaire
Équipes de : 3 élèves
Formation des équipes : par l'enseignante

Expérience en coopération : 1 – ❷ – 3 – 4
Temps prévu : environ 80 minutes
Mode d'interaction : petits groupes
hétérogènes régis
par des rôles

Objectifs reliés au programme d'études

– Amener les élèves à utiliser des stratégies de compréhension de consignes écrites (des phrases) de résolution de problèmes ;
– Utiliser adéquatement une technique pour chacune des quatre opérations ;
– Représenter une fraction de multiples façons ;
– Établir des relations logiques (savoir comparer et ordonner des nombres, etc.).

Objectifs reliés à la coopération (comportements, habiletés sociales)

– À consolider :
  • rester dans son équipe ;
  • accepter sa ou son partenaire ;
  • parler à voix basse ;
  • bien jouer son rôle.
    – À développer :
      • participer activement ;
      • partager ses idées ;
      • s'entraider ;
      • se concerter ;
      • faire consensus.

Interdépendance positive

Buts communs

– Prendre l'habitude de lire correctement les consignes pour pouvoir faire le travail demandé ;
– Composer des consignes à partir de problèmes donnés ;
– Établir des relations logiques entre les consignes et les problèmes à résoudre.

Autres moyens

– Partage des ressources matérielles (matériel commun) ;
– Partage des ressources humaines (partage des connaissances et des habiletés) à l'aide de rôles :
  • lectrice ou lecteur ;
  • scripteuse ou scripteur ;
  • chercheuse ou chercheur de consensus.
– Organisation spatiale.

Responsabilité individuelle

– Assumer son rôle ;
– Aider ses partenaires ;
– Participer activement ;
– Donner son opinion sur les réponses des coéquipiers ;
– Être capable de répondre aux questions quand on est désigné au hasard.

Matériel et ressources

– Pour la classe :
  • 1 rétroprojecteur ;
  • transparent de chacune des feuilles reproductibles ;
  • crayons à transparent ;
  • cartons des rôles ;
  • noms à tirer.

– Pour chaque élève :
  • 1 feuille « Mise en train ».

– Pour chaque équipe :
  • 1 copie de « Lisez bien les consignes ! », « Écrivez la consigne » et « Inventez les problèmes » ;
  • 1 crayon et 1 gomme à effacer.

Rétroaction

– Évaluation des objectifs reliés au programme d'études :
  • formative et qualitative sous forme de discussion lors de la séance plénière.
– Évaluation des objectifs reliés à la coopération :
  • formative et qualitative lors de la séance plénière ; commentaires de l'enseignante sur le travail en équipe, à partir de ses observations.

– Assurez-vous d'avoir un espace où les élèves pourront se regrouper en équipes de trois.
– Imprimez la feuille reproductible « Mise en train » pour chaque élève ainsi que les feuilles reproductibles des trois tâches pour chacune des équipes. Prévoyez un transparent pour chacune de ces feuilles.

Première étape (mise en train)

1. Demandez aux élèves de faire seuls la tâche de la feuille reproductible « Mise en train » et allouez environ cinq minutes à sa réalisation.
2. Une fois le temps écoulé, prévoyez quelques minutes de discussion sur l'importance de bien lire les consignes et faites prendre conscience aux élèves du sentiment de frustration ainsi que de la perte de temps et d'énergie réalisée lorsqu'on ne fait pas ce qui est demandé. Mentionnez le fait qu'en équipe ils auront moins de chances de se tromper sur la tâche à exécuter.

Deuxième étape (travail en équipe)

3. Formez les équipes en tenant compte des habiletés académiques et des affinités de chacune et de chacun, de manière à obtenir des groupes hétérogènes.
4. Expliquez brièvement les rôles de lectrice ou de lecteur, de scripteuse ou de scripteur et de chercheuse ou de chercheur de consensus.
5. Mentionnez les comportements attendus pendant l'activité ; présentez les objectifs à développer et écrivez-les au tableau.
6. Mentionnez aux élèves qu'on leur posera des questions au hasard pendant la rétroaction.
7. Précisez que le temps disponible pour chaque partie de l'activité sera écrit au tableau.
8. Expliquez la première tâche.
   La lectrice ou le lecteur lira la consigne, la scripteuse ou le scripteur écrira ce qui est demandé, et la chercheuse ou le chercheur de consensus s'assurera que les membres de l'équipe sont en accord avec le résultat obtenu. Prévoyez environ 10 minutes pour toutes ces explications.
9. Observez le travail en équipe en donnant le soutien nécessaire.
10. Arrêtez la tâche au bout de 10 minutes et choisissez une ou un porte-parole au hasard (une ou un par équipe) afin de permettre une brève discussion sur l'importance de bien lire les consignes.
11. Expliquez que les deux autres tâches se dérouleront encore en équipe et qu'il leur faudra maintenant composer une consigne pour la deuxième tâche et composer une consigne et un problème pour la troisième. Allouez environ 20 minutes à la réalisation de ces deux tâches, soit 10 minutes chacune.
12. Observez encore une fois le travail en équipe.

Lors de la séance plénière, présentez les transparents des feuilles de tâches 2 et 3, choisissez une ou un porte-parole en tirant des noms au hasard. Questionnez les élèves sur les réponses obtenues pour les deuxième et troisième tâches. Écrivez leurs réponses sur les transparents correspondants placés sur le rétroprojecteur. Allouez environ 10 minutes de discussion, soit 5 minutes par tâche.

Évaluation des objectifs reliés au programme d'études *(suite)*	Évaluation des objectifs reliés à la coopération *(suite)*

• Qui n'a écrit que son nom et la date pour la première activité ? Qu'est-ce qui vous a mis sur la piste ?
 	
• Combien y a-t-il de consignes à respecter pour chacun des numéros de la première tâche ?
 	
• En ce qui concerne la deuxième tâche, y a-t-il des numéros pour lesquels on ne pouvait écrire qu'une seule consigne permettant de résoudre le problème ? Lesquels ?
 	
• Y a-t-il des numéros pour lesquels on pouvait composer différentes consignes ? Lesquels ?
 	
• Est-ce que cette activité demande seulement des connaissances mathématiques ? Sinon, à quelle autre matière fait-elle appel ?
	– Lesquels des comportements attendus ont été respectés ?
	– Lesquels ont été plus difficiles à respecter ?
	
	  • Est-ce que vous avez bien joué votre rôle ?
	
	  • Est-ce qu'il y avait des rôles plus difficiles à assumer que d'autres ? Lesquels ?
	
	  • Est-ce que tous les membres de l'équipe étaient d'accord avec les réponses obtenues ?
	
	  • Est-ce que vous vous êtes entraidés ? De quelle façon ?

Mise en train

Nom : _____   Date : _____

Lis attentivement **tous les énoncés** avant de faire ce qui est demandé.

1. Écris toutes les voyelles de l'alphabet.

   _____

2. Écris les deux dernières lettres de ton nom de famille.

   _____

3. Complète cette suite : 3, 6, 9, 12, _____, _____.

4. Résous l'addition suivante : 21 + 379 = _____.

5. Nomme ton fruit préféré.

   _____

6. Nomme ton animal préféré.

   _____

7. Écris le prénom de ta mère.

   _____

8. Combien de jours y a-t-il dans une année, lorsqu'il ne s'agit pas d'une année bissextile ?

   _____

9. Quelle est la saison que tu aimes le plus ?

   _____

10. La seule chose que tu as à faire pour cette tâche est d'écrire ton nom et la date aux endroits indiqués sur la feuille.

1. Lisez bien les consignes!

Noms: _____

_____   Date :_____

Répondez aux questions suivantes en accordant une attention particulière
à la lecture des consignes.

---

1. Quel résultat vais-je obtenir pour le problème suivant si j'effectue
la soustraction en premier ? Souligne la bonne réponse.

$$3 \times (2 - 1) + 5 =$$

a) 10   c) 13   e) Aucune
b) 8   d) 0   de ces réponses.

2. Complète les quatre premières suites, puis encadre celle qui est
différente des autres.

a) 3, 2, 1, _____.   c) 3, 6, 9, _____.   e) 2, 4, 6, _____.
b) 8, 6, 4, _____.   d) 20, 15, 10, _____.

3. Quel résultat vais-je obtenir pour l'addition suivante si j'inverse le numé-
rateur et le dénominateur de la réponse ? Encercle la bonne réponse.

$$\frac{7}{11} \quad + \quad \frac{3}{11} \quad =$$

a) $\frac{9}{11}$ c) $\frac{11}{10}$ e) $\frac{10}{11}$

b) $\frac{10}{22}$ d) $\frac{22}{10}$

4. Résous le problème suivant. Ensuite, multiplie la réponse par deux
et dessine un cœur à droite de ce que tu obtiens.

3 dizaines – 22 unités =

a) 8   c) 18   e) 16
b) 4   d) 14

5. Complète les trois dernières suites. Dessine un triangle
à gauche de celle dont les bonds ne sont pas de deux.

a) 10, 20, 30, _____.   c) 11, 13, 15, _____.   e) 21, 19, 17, _____.
b) 50, 45, 40, _____.   d) 18, 12, 6, _____.

2. Écrivez la consigne

Noms : _____   _____

_____   Date : _____

Pour cette deuxième tâche, vous devez résoudre chacun des cinq problèmes et composer une consigne vous permettant de l'effectuer correctement.

1. Consigne : _____

_____

_____

$$5 \times 6 - 4 =$$

2. Consigne : _____

_____

_____

7, 14, 21, _____ .

3. Consigne : _____

_____

_____

367   476   291   219   376   467   191   429.

4. Consigne : _____

_____

_____

_____ 199 _____   _____ 430 _____   _____ 300 _____

5. Consigne : _____

_____

_____

2 centaines + 18 dizaines $\bigcirc$ 4 centaines – 21 dizaines

3. Inventez les problèmes

Noms : _____ _____

_____ Date : _____

Toujours en équipe, vous devez composer trois problèmes
mathématiques et écrire les consignes qui les accompagnent.

1. Consigne : _____

_____

_____

Problème : _____

_____

_____

2. Consigne : _____

_____

_____

Problème : _____

_____

_____

3. Consigne : _____

_____

_____

Problème : _____

_____

_____

L'observation du sol

Matière: sciences de la nature
Degrés: 4e-5e-6e année du primaire
Équipes de: 4 ou 5 élèves
Formation des équipes: par l'enseignante

Expérience en coopération: 1 – ❷ – 3 – 4
Temps prévu: environ 80 minutes
Mode d'interaction: petits groupes
hétérogènes régis
par des rôles

Objectifs reliés au programme d'études

– Utiliser la démarche expérimentale pour identifier les éléments du sol;

– Observer;

– Classer;

– Prendre des notes, faire des croquis.

Objectifs reliés à la coopération
(comportements, habiletés sociales)

– À consolider:
  • écouter les autres;
  • donner ses idées;
  • partager le matériel;
  • bien jouer son rôle.

  – À développer:
    • accepter ses partenaires d'équipe.

Interdépendance positive

But commun

Faire une liste des éléments observés dans un échantillon de sol et classer les éléments.

Autres moyens

– Partage des ressources matérielles.

– Partage des ressources humaines à l'aide des rôles:
  • responsable du matériel;
  • lectrice ou lecteur;
  • scripteuse ou scripteur;
  • messagère ou messager;
  • capitaine de la petite voix

– Organisation spatiale

Matériel et ressources

– Pour chaque équipe:
  • 1 échantillon de sol de jardin ou de compost mûr,
  • 1 grande feuille de papier,
  • 1 «Feuille d'équipe»,
  • 1 crayon.

– Pour chaque élève:
  • 1 feuille d'«Auto-évaluation»,
  • 1 feuille «Rapport d'observation».

Responsabilité individuelle

– Contribuer à la recherche des idées;

– Bien jouer son rôle.

Rétroaction

– Évaluation des objectifs reliés au programme d'études:
  • formative qualitative et lors de la séance plénière; individuelle comme devoir (*voir le «Rapport d'observation»*).

– Évaluation des objectifs reliés à la coopération:
  • auto-évaluation, évaluation en équipe et en séance plénière;
  • rétroaction spécifique à l'équipe par l'enseignante.

Lors de l'aménagement d'une plate-bande de vivaces et la plantation de bulbes sur le terrain de l'école, les élèves qui avaient travaillé aux étapes «préparation du sol pour la plantation» et «distribution du compost» avaient eu l'occasion de faire des observations spontanées concernant les éléments qui se trouvent dans le sol. L'activité qui suit permet à tous les élèves de la classe d'identifier et de classer de façon plus systématique les différentes composantes du sol et de formuler des questions qui leur serviraient par la suite de pistes de recherche.

Procurez-vous une quantité suffisante de terre provenant d'un jardin (du compost mûr ou semi-mûr, par exemple, en provenance d'un tas de compost en contact avec le sol, qui contient normalement beaucoup d'éléments vivants et non vivants).

Présentation aux élèves et réalisation de l'activité

1. Demandez aux élèves ce qu'ils pensent trouver dans un échantillon de ce sol. Permettez-leur de donner leurs idées, notez-en quelques-unes au tableau et rappelez-leur qu'ils viennent ainsi d'émettre des hypothèses. Demandez-leur comment ils pensent vérifier leurs hypothèses. (Ils suggéreront certainement de vérifier en observant le sol.)
2. Expliquez la tâche.
   Chaque équipe doit observer un échantillon de sol et noter sur la feuille de l'équipe tous les éléments qui s'y trouvent. À l'aide des pistes d'observation mentionnées sur la feuille de l'équipe, elle doit ensuite compléter la description du sol. Les questions suscitées par cette observation doivent être notées également.
3. Formez les équipes et attribuez les rôles.
   – La ou le responsable du matériel recueille le matériel nécessaire, surveille son utilisation adéquate et supervise le rangement à la fin de l'activité.
   – La lectrice ou le lecteur lit les consignes et les questions de la feuille d'équipe.
   – La messagère ou le messager vient chercher de l'aide en cas de questions d'équipe seulement.
   – La scripteuse ou le scripteur consigne les réponses de l'équipe et demande à ses coéquipiers de l'aider pour l'orthographe ou la grammaire, au besoin.
   – La ou le capitaine de la petite voix rappelle, au besoin, à ses coéquipiers, qu'ils doivent parler à voix basse.
4. Précisez le matériel permis, les comportements attendus et le temps prévu.
5. Supervisez le travail des équipes.

Évaluation des objectifs reliés au programme d'études	Évaluation des objectifs reliés à la coopération
– Quels éléments avez-vous découverts dans votre échantillon de sol? – De quelle façon avez-vous classé les éléments observés? – Quelle est votre conclusion? Que constatez-vous à la suite de cette observation du sol?	Individuellement, les élèves doivent répondre à la feuille d'«Auto-évaluation» et ensuite discuter de leurs réponses individuelles avec leurs coéquipiers.

Évaluation des objectifs reliés au programme d'études (*suite*)	Évaluation des objectifs reliés à la coopération (*suite*)
– Quelles questions vous posez-vous à la suite de l'observation ? Chaque élève devra compléter un « Rapport d'observation » comme devoir, afin de faire le point sur ses apprentissages.	Lors de la séance plénière, l'enseignante demande aux équipes s'il y a eu des divergences entre les membres quant aux comportements mentionnés sur la feuille « Auto-évaluation ». • Qu'est-ce que cela signifie si, dans une équipe, chacun pense qu'il a écouté les autres, mais en même temps plusieurs membres trouvent que les autres ne les ont pas écoutés ? • Comment avez-vous montré que vous acceptiez vos partenaires ? • Comment avez-vous vu que vous étiez acceptés par les autres dans votre équipe ? • Quelles étaient les différentes façons possibles de partager le matériel ? • Quels indices pouvaient montrer à une observatrice ou un observateur que vous étiez concentrés sur la tâche ? • Quels rôles étaient bien assumés par les membres de votre équipe ? • Quels rôles étaient particulièrement nécessaires aujourd'hui ? À la suite de cet échange, proposez aux élèves d'effectuer éventuellement des corrections sur la feuille « Auto-évaluation ». Prenez connaissance des auto-évaluations des élèves et donnez-leur un feed-back spécifique sur leur fonctionnement en équipe.

RÉTROACTION

PROLONGEMENT

Les questions que les élèves ont posées après leur observation du sol peuvent servir de point de départ pour des investigations ultérieures et constituer autant de sujets de recherche ou d'expérimentation.

Feuille d'équipe

Membres de l'équipe : _____ _____

_____ _____

Date : _____

Faites une liste de tout ce que vous voyez dans le sol. Observez attentivement. Pour mieux distinguer les différents éléments, étalez votre échantillon sur la grande feuille blanche.

_____

_____

_____

_____

Pour les éléments dont vous ne connaissez pas le nom, faites des croquis.

_____

Comment pouvez-vous regrouper (classer) les différents éléments du sol ?

_____

_____

_____

Notez les questions que vous vous posez après cette observation du sol au verso de cette feuille.

Auto-évaluation

Nom : _____ Date : _____

Aujourd'hui, dans mon équipe...

	Oui	Non	Un peu
j'ai participé au travail de l'équipe.			
j'ai donné mes idées.			
j'ai écouté les idées des autres.			
les autres ont écouté ce que je disais.			
j'ai montré que j'acceptais mes partenaires.			
mes partenaires m'acceptaient.			
j'ai partagé le matériel.			
ma concentration était très bonne.			

Mes partenaires d'équipe étaient :

_____ _____

_____ _____

Rapport d'observation

Noms : _____   _____

_____   Date : _____

1. Quelle était la question à l'origine de l'observation ?

   _____

   _____

   _____

2. Quelle était votre hypothèse ?

   _____

   _____

   _____

3. Comment avez-vous procédé pour vérifier votre hypothèse ?

   _____

   _____

   _____

4. Quelle était votre conclusion ?

   _____

   _____

   _____

5. Notez une des questions que vous avez formulées à la suite de cette observation.

   _____

   _____

   _____

6. Formulez une hypothèse concernant cette question.

   _____

   _____

   _____

Elle s'appelle CRAC…

Matière : sciences humaines
Degré : 4e année du primaire
Équipes de : 4 élèves
Formation des équipes : par l'enseignante

Expérience en coopération : ❶ – 2 – 3 – 4
Temps prévu : environ 80 minutes
Mode d'interaction : tour de table
Activité de réchauffement : seul, à deux, à quatre

Objectifs reliés au programme d'études

- Décrire en ses propres mots différents changements survenus dans les paysages, les modes de production et les conditions de vie (paysages, voies de communication, transports, changements technologiques, énergétiques, conditions de vie, etc.) ;
- Situer ces phénomènes dans le temps.

Objectifs reliés à la coopération (comportements, habiletés sociales)

- À consolider :
  • parler à voix basse ;
  • rester dans son équipe.

- À développer :
  • donner son avis et écouter attentivement celui des autres.

Interdépendance positive

Buts communs

- Répertorier les éléments qui se rapportent au thème de notre équipe ;
- Placer ces éléments par ordre chronologique.

Autres moyens

- Partage des ressources matérielles (matériel restreint) ;
- Organisation spatiale :

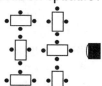

Responsabilité individuelle

- Assumer la tâche :
  • regarder attentivement le film d'animation ;
  • participer activement à la tâche en donnant des éléments de réponse.

- Adopter le mode d'interaction approprié.

Matériel et ressources

- Pour la classe :
  • Vidéocassette du film d'animation *CRAC*, réalisé par Frédéric Back[1] durée : 15 minutes ;

    « Une chaise devient le témoin actif d'une partie de l'histoire du Québec. Avec elle, le spectateur revit l'époque des premiers colons et des légendes amérindiennes jusqu'aux temps des villes modernes et des centrales nucléaires. Les dessins au pastel s'animent au rythme rapide des événements et les nombreuses références socioculturelles passent par des détails très humoristiques. »

- Par équipe :
  • 1 feuille blanche ;
  • 1 crayon à mine ;
  • 1 gomme à effacer.

Rétroaction

- Évaluation des objectifs reliés au programme d'études :
  • formative et qualitative en groupe-classe.
- Évaluation des objectifs reliés à la coopération :
  • formative et qualitative en groupe-classe.

1. En vente à la boutique de la Société Radio-Canada et dans les librairies *Champigny et Renaud-Bray*. En location dans les bibliothèques municipales et les centres de documentation des commissions scolaires.

CONTEXTE	Cette activité de coopération est la première d'une série de rencontres réalisées dans le cadre d'un projet de recherche en sciences humaines. Elle a été précédée d'une activité de climat qui utilisait le mode d'interaction «Individuellement-à deux-à quatre» dont l'objectif était de faire connaissance en partageant ce que l'on aime. (Exemples : Le cadeau que j'aimerais offrir. À quelle personne j'aimerais l'offrir.)
PRÉPARATION	Réunissez le matériel nécessaire et préparez le local en fonction de l'activité. Informez-vous de la possibilité de présenter le réalisateur Frédéric Back aux élèves. Prévisionnez le film.

DÉROULEMENT

Présentation aux élèves et réalisation de l'activité

1. Regroupez les élèves en équipes de quatre.
2. Présentez aux élèves le film d'animation et parlez-leur du réalisateur. Demandez aux élèves de regarder le film attentivement pour se souvenir du maximum de détails.
3. Visionnez le film d'animation.
4. Expliquez la tâche.

   À tour de rôle, chaque membre de l'équipe doit nommer un élément ayant un rapport au thème assigné à son équipe. Chaque équipe doit tenter d'énumérer tous les éléments présents dans le film d'animation. Une fois la liste complétée, les élèves doivent tenter de placer les éléments par ordre chronologique. Dans le cas où il reste du temps, l'équipe peut exécuter le même travail avec le thème suivant.

   Dans le film, on traite des thèmes suivants :
   - transports ;   – fêtes ;
   - travail ;   – habitations ;
   - jeux ;   – instruments de musique.

5. Distribuez au hasard un thème à chaque équipe.
6. Précisez les comportements attendus et écrivez-les au tableau ; mentionnez la durée de l'activité.
7. Supervisez le travail des équipes.

RÉTROACTION

Évaluation des objectifs reliés au programme d'études	Évaluation des objectifs reliés à la coopération
À tour de rôle, une ou un porte-parole de chaque équipe donne ses réponses. Les autres équipes, qui ont eu le temps de traiter plus d'un thème, peuvent ajouter les éléments manquants. • Quels sont les éléments que vous avez trouvés ? • Est-ce que tout ce que vous avez nommé existe encore aujourd'hui ? • Y a-t-il des choses que vous n'aviez encore jamais vues ?	• N'est-il pas vrai que plus on est nombreux, plus on se souvient d'éléments différents ! • Est-ce que chaque élève a donné son avis ? • Comment vous êtes-vous organisés pour que chacun donne son avis ? • Avez-vous eu des difficultés à donner votre avis ? • Comment avez-vous fait pour écouter l'avis de vos partenaires ?

Visionnez le film à nouveau pour compléter les informations déjà compilées. À cette occasion, attirez l'attention des élèves sur les détails qui leur ont échappé et commentez les faits qu'ils pourraient juger surprenants (légendes amérindiennes, chauffage au bois, système d'éclairage, etc.

Portrait d'une région

Matière: sciences humaines
Degré: 6ᵉ année du primaire
Équipes de: 4 élèves
Formation des équipes: par l'enseignante

Expérience en coopération: 1 – 2 – ❸ – 4
Temps prévu: 4 périodes de 120 minutes
Mode d'interaction: petits groupes
hétérogènes régis
par des rôles

Objectif relié au programme d'études

Décrire les traits physiques et humains des différentes régions du Canada.

Objectifs reliés à la coopération
(comportements, habiletés sociales)

– À consolider:
  • inclure tous les membres de l'équipe;
  • décider ensemble;
  • bien jouer son rôle;
  • s'entraider.

– À développer:
  • partager le travail.

Interdépendance positive

But commun

Réaliser le portrait d'une région du Canada et en faire la présentation devant la classe.

Autres moyens

– Partage des ressources matérielles;

– Partage des ressources humaines à l'aide des rôles:
  • lectrice ou lecteur;
  • facilitatrice ou facilitateur;
  • harmonisatrice ou harmonisateur;
  • responsable du matériel et messagère ou messager.

– Organi-sation spatiale

Matériel et ressources

– Pour chaque équipe:
  • documents visuels (photos, illustrations, cartes, graphiques) et écrits (manuels de sciences humaines, dépliants touris-tiques, etc.) sur la région en question;
  • 1 feuille «Consignes»;
  • 1 «Tableau de notes»;
  • 1 feuille «Nous réfléchissons...»;
  • 1 «Feuille de vérification»;
  • cartons, papier, stylos-feutres, colle, etc.

– Pour chaque élève:
  • 1 feuille «Autoévaluation individuelle».

Responsabilité individuelle

– Bien jouer son rôle.

– Participer aux décisions.

– Assumer sa part de travail.

Rétroaction

– Évaluation des objectifs reliés au programme d'études:
  • sommative, collective, qualitative et quantitative lors de la présentation du portrait de la région par chaque équipe.

– Évaluation des objectifs reliés à la coopération:
  • qualitative, formative, lors de la rétroaction. Rétroactionprécise aux équipes par l'enseignante d'après ses observations.

Ce projet d'équipe s'inscrit dans le volet « géographie » du programme des sciences humaines en 6e année. Les élèves ont déjà émis leurs hypothèses concernant la question « Est-ce que toutes les régions du Canada sont semblables ? » et sont prêts à entreprendre l'étape de la vérification de leurs hypothèses.

Le présent projet suppose que les élèves travaillent déjà en équipes de coopération depuis un certain temps, de façon régulière. Il s'agit d'équipes qui sont permanentes pour la durée d'une étape et qui ont déjà réalisé des activités qui leur permettaient de bien se connaître et d'établir un climat de confiance. Les équipes ont développé entre autres un sentiment d'appartenance en choisissant un nom pour l'équipe. Elles ont également adopté et pratiqué différents rôles depuis quelques semaines.

Présentation aux élèves et réalisation de l'activité

1. Montrez aux élèves que la vérification de leurs hypothèses sur les traits physiques et humains des différentes régions du Canada constitue un travail considérable. Proposez-leur de partager ce travail en préparant le portrait d'une région par équipe.

2. Expliquez la tâche.

   Les membres de chaque équipe devront d'abord choisir une des régions du Canada, proposées sur la feuille de consignes, et faire approuver leur choix par l'enseignante, afin de permettre une coordination entre les équipes. Ensuite, ils doivent se renseigner sur les différents traits physiques et humains de la région de leur choix et préparer un portrait de cette région, qu'ils présenteront à la fin aux autres équipes, lors d'une séance plénière.

3. Réunissez les équipes, assignez les rôles et faites le rappel suivant.
   - La facilitatrice ou le facilitateur clarifie la tâche et s'assure que l'équipe ne s'éloigne pas du sujet.
   - La ou le responsable du matériel réunit le matériel nécessaire, le distribue aux membres de l'équipe, veille sur son utilisation adéquate et en prend soin entre les séances de travail de l'équipe. Elle ou il assume en même temps le rôle de messagère ou de messager, qui fait le lien entre l'équipe et l'enseignante, en cas de besoin.
   - La lectrice ou le lecteur lit les documents (feuille d'équipe, feuille de vérification, etc.).
   - L'harmonisatrice ou l'harmonisateur porte une attention particulière au climat dans l'équipe, s'assure que les membres décident ensemble et fait des propositions pour aider les membres à trouver des solutions lorsqu'il y a un conflit.

4. Précisez que le matériel mis à la disposition des équipes peut être enrichi par les membres des équipes et encouragez les élèves à apporter en classe tout ce qui pourrait leur permettre de mieux illustrer leurs propos ou de servir au travail d'une autre équipe de la classe.

5. Soulignez que les comportements importants pour un bon fonctionnement de l'équipe sont mentionnés en bas de la feuille de consignes en encadré. Attirez leur attention sur le comportement « partager le travail » et faites un bref remue-méninges sur les différentes façons de se partager le travail.

6. Précisez l'échéancier du travail (date des présentations) et faites remarquer que les membres des équipes devront certainement faire des lectures et d'autres travaux de recherche entre les séances de travail en classe.

7. Supervisez le travail des équipes et intervenez au besoin, surtout pour attirer l'attention des membres d'une équipe sur leur façon de partager le travail, afin de susciter chez eux une prise de conscience et une amélioration de leurs procédés concernant cette habileté.

Présentation aux élèves et réalisation de l'activité *(suite)*

8. Quelques minutes avant la fin de chaque séance de travail, demandez à chaque équipe de faire une autoévaluation collective afin de lui permettre de prendre conscience de l'état de réalisation de son projet et des points forts et des points faibles dans son fonctionnement. La feuille intitulée « Nous réfléchissons sur notre façon de travailler ensemble » peut être complétée par l'équipe à ce moment, et l'enseignante pourra en prendre connaissance et y ajouter des commentaires pour donner une rétroaction précise à l'équipe.

9. Lorsqu'une équipe a terminé son portrait et se déclare prête, demandez à chaque élève de compléter son autoévaluation individuelle, afin de lui permettre de faire un bilan de son fonctionnement dans l'équipe. Cette autoévaluation individuelle devrait par la suite donner lieu à une rencontre avec l'enseignante pour permettre à celle-ci de discuter avec l'élève de ses forces et ses faiblesses, et pour cibler avec l'élève les éléments sur lesquels porteront ses efforts pendant la prochaine étape. Chaque équipe devra également compléter ensemble la « Feuille de vérification », qui résume les caractéristiques d'un travail réussi et rappelle les exigences de la présentation.

Évaluation des objectifs reliés au programme d'études	**Évaluation des objectifs reliés à la coopération**

• Qu'avez-vous appris sur la région présentée ?
 	
 • Est-ce que cette présentation était complète ? Quels étaient les éléments manquants ?
 	
 • Quelles sont les différences et les ressemblances entre votre région et la région présentée ?
 	
 • Quels sont les éléments qu'on retrouve uniquement dans cette région ?
 	
 • Lesquelles de vos hypothèses ont été confirmées ? Lesquelles étaient fausses ?
	Discutez les deux premières des questions suivantes, ainsi qu'une ou deux autres, selon les observations faites lors des séances de travail.
	
	 • Comment avez-vous procédé pour vous partager le travail ?
	 • Quelles autres façons auraient été utiles ?
	 • De quelles façons vous êtes-vous entraidés ?
	 • Quelles difficultés avez-vous rencontrées dans votre travail d'équipe ? Comment les avez-vous surmontées ?
	   – De quelle façon les différents rôles vous ont-ils été utiles ?
	   – Que feriez-vous de la même façon la prochaine fois que vous travaillerez en équipe ? Que feriez-vous autrement ?

À la suite de la présentation des équipes et de la rétroaction, on peut exposer les portraits des équipes ou les faire circuler d'une équipe à l'autre, afin de permettre à tous les élèves de s'approprier davantage les connaissances sur les autres régions. Chaque équipe pourrait aussi préparer une série de questions sur le contenu qu'elle a présenté ; ces questions pourraient servir pour un jeu du genre « Génies en herbe ». Une évaluation individuelle portant sur les connaissances concernant toutes les régions peut clore ce projet.

Consignes

1. Révisez ensemble les rôles de chaque membre de l'équipe :
   – lectrice ou lecteur ;   _____

   – facilitatrice ou facilitateur ;   _____

   – responsable du matériel
   et messagère ou messager ;   _____

   – harmonisatrice ou harmonisateur.   _____

   Les tâches suivantes doivent être assumées à tour de rôle ou bien partagées :
   – prendre des notes pour l'équipe, calligraphier, dessiner, découper, disposer, coller, colorier, etc.

2. Ensemble, choisissez une des régions suivantes : les basses-terres du Saint-Laurent et des Grands Lacs ; les Inuitiennes ; le Bouclier canadien ; la Cordillère de l'Ouest ; les Appalaches ; les basses-terres de l'Arctique ; les plaines intérieures.

   Faites approuver votre choix pour permettre une coordination entre les équipes.

3. Renseignez-vous, en faisant des lectures et en consultant des documents visuels, sur les aspects qui doivent tous paraître dans votre portrait de la région :
   – le relief, le réseau hydrographique, le climat, la faune et la végétation, le sol et le sous-sol (richesses de la terre), la population, les activités humaines.

4. Prenez des notes en style télégraphique, en utilisant les tableaux fournis.

5. À l'aide d'illustrations (photos ou dessins), de graphiques et de textes brefs, réalisez un portrait de votre région et préparez-vous à présenter votre portrait aux autres équipes. La date prévue pour la présentation est le _____.

6. Au sein de votre équipe, les comportements attendus sont :
   - inclure tous les   • décider ensemble ;
     membres de l'équipe ;   • s'entraider ;
   - partager le travail ;   • bien jouer son rôle.

Tableau de notes

Nom de l'équipe : _____   Date : _____

Région : _____

Relief (formes du terrain)	
Climat températures et précipitations	
Végétation	
Hydrographie étendues et cours d'eau	
Sol et sous-sol	

Nom de l'équipe : _____   Date : _____

Faune (animaux qui y vivent) 	
Population (Où vit la population ? Est-elle nombreuse ? Pourquoi vit-elle là ?) 	
Activités humaines (De quoi vivent les gens ? Quelles sont leurs occupations ?) 	

Nous réfléchissons sur notre façon de travailler ensemble

Nom de l'équipe : _____   Date : _____

1. Qu'est-ce que nous avons accompli aujourd'hui ? (Écrivez tout ce que vous avez fait aujourd'hui pour faire avancer votre projet.)

   _____

   _____

2. Qu'est-ce qui nous reste à faire ?

   _____

   _____

3. Voici ce que chacun de nous doit faire pour la prochaine rencontre :

   _____

   _____

4. Les comportements que nous avons bien réussis aujourd'hui :

   _____

   _____

5. Que voulons-nous améliorer ?

   _____

   _____

6. Qu'est-ce qui pourrait nous aider ?

   _____

   _____

Feuille de vérification

Pour vous assurer d'avoir bien complété votre tâche et mis au point votre présentation, vérifiez tous les éléments de cette liste. Cochez tout ce qui est complet et prêt. Bonne chance !

– Tableau avec notes en style télégraphique (le brouillon suffit). ❑

– Le portrait de votre région contenant des informations sur :

- le relief ; ❑
- la faune ; ❑
- la population ; ❑
- le réseau hydro-graphique ; ❑
- la végétation ; ❑
- les activités humaines. ❑
- le climat ; ❑
- le sol et le sous-sol ; ❑

Le portrait de votre région doit contenir des textes brefs et des illustrations qui sont en lien avec les textes. Les illustrations peuvent être des dessins ou des photos, des graphiques, etc.

– Présentation écrite de qualité (écriture propre et soignée, bien lisible, sans fautes d'orthographe et de grammaire, dessins soigné, etc.). ❑

– Présentation orale de qualité (voix forte, bonne prononciation, bon rythme, bonne intonation). ❑

– Participation égale lors de la présentation (chacun fait sa part). ❑

– Feuille « Nous réfléchissons sur notre façon de travailler ensemble. » ❑

– Toutes les feuilles « Auto-évaluation individuelle ». ❑

Signatures des membres de l'équipe :

_____   _____

_____   _____

Auto-évaluation

Nom : _____ Date : _____

Encercle un des chiffres 1 à 4 selon ton degré de satisfaction :
1 signifie « très satisfait », tandis que 4 correspond à « très insatisfait ».

Ma concentration sur la tâche pendant le travail de l'équipe	1	2	3	4
Ma participation aux décisions de l'équipe	1	2	3	4
Ma façon d'inclure tous les membres de l'équipe	1	2	3	4
Ma façon de partager mes idées	1	2	3	4
Ma façon de poser des questions qui font progresser le travail	1	2	3	4
Ma participation active à la recherche de réponses	1	2	3	4
Ma façon de jouer mon rôle	1	2	3	4
Ma façon de partager le travail	1	2	3	4
Ma contribution à la recherche de matériel pour notre projet	1	2	3	4
Mes lectures à la maison	1	2	3	4
Mon attitude face aux autres membres de l'équipe qui ont besoin d'aide	1	2	3	4
Ma compréhension de la tâche	1	2	3	4
Les apprentissages que j'ai faits lors de ce travail d'équipe	1	2	3	4

Commentaires :

_____

_____

_____

Qui suis-je ?

Matière : français
Degré : 3e à 6e année du primaire
Équipes de : 3 élèves
Formation des équipes : par l'enseignante

Expérience en coopération : ❶ – 2 – 3 – 4
Temps prévu : environ 50 minutes
Mode d'interaction : seul, à trois

Objectifs reliés au programme d'études

– Comprendre le sens d'une phrase ;

– Sélectionner et inférer une information.

Objectifs reliés à la coopération
(comportements, habiletés sociales)

– À consolider :
  • rester dans son équipe ;
  • parler à voix basse.

– À développer :
  • faire consensus.

Interdépendance positive

But commun

Choisir la réponse la plus pertinente.

Autres moyens

– Organisation spatiale ;

– Partage des ressources matérielles (matériel restreint) ;

– Partage des ressources humaines :
  • scripteuse ou scripteur à tour de rôle ;

– Questionnement au hasard.

Matériel et ressources

– Pour chaque élève :
  • 1 copie de la feuille « Qui suis-je ? » ;

– Pour chaque équipe :
  • 1 copie de la feuille « Qui suis-je ? ».

Responsabilité individuelle

– Jouer son rôle de scripteuse ou de scripteur ;

– Compléter la feuille intitulée « Qui suis-je ? » ;

– Être capable de répondre aux questions lors de l'évaluation.

Rétroaction

– Évaluation des objectifs reliés au programme d'études :
  • évaluation formative et qualitative en groupe-classe.

– Évaluation des objectifs reliés à la coopération :
  • formative et qualitative en groupe-classe.

Assurez-vous d'avoir un espace où les élèves pourront se regrouper en équipes de trois. Reproduisez la feuille intitulée « Qui suis-je ? » : une pour chaque élève ainsi qu'une pour chaque équipe.

Présentation aux élèves et réalisation de l'activité

1. Annoncez aux élèves qu'ils devront accomplir une tâche dont une partie sera réalisée individuellement et l'autre, en équipe.
2. Présentez les objectifs reliés à la coopération et écrivez-les au tableau.
3. Demandez à chaque élève de rester à sa place pour l'activité réalisée individuellement.
4. Expliquez la première partie, soit le travail individuel.
   Distribuez la feuille intitulée « Qui suis-je ? ». Rappelez aux élèves de lire la consigne et de compléter la tâche. Informez-les qu'ils auront 10 minutes pour terminer le travail individuel.
5. Expliquez la deuxième partie de la tâche, soit le travail en équipe.
   Après le travail individuel, regroupez les élèves en équipes de trois en tenant compte de leurs habiletés intellectuelles et de leurs affinités. Demandez-leur de refaire la même activité sur une nouvelle feuille. Les élèves ont 15 minutes pour discuter et s'entendre sur la réponse la plus pertinente pour chacune des phrases. Chaque membre écrit une réponse à tour de rôle. Enfin, l'évaluation sera assurée par un questionnement au hasard. Les autres membres de l'équipe peuvent aider la personne interrogée à justifier ses réponses.
6. Choisissez au hasard une personne pour qu'elle communique à la classe le choix de son équipe. Demandez à d'autres membres des équipes de justifier certaines réponses.

Évaluation des objectifs reliés au programme d'études	Évaluation des objectifs reliés à la coopération
• Y a-t-il des questions pour lesquelles il y a plusieurs réponses possibles ? Lesquelles ? • Quelles sont les diverses possibilités de réponses ? • Y a-t-il des questions pour lesquelles il n'y a qu'une seule réponse ? Lesquelles ? • Quelle est la solution obtenue pour chacune de ces questions ?	• Es-tu resté ou restée dans ton équipe ? • As-tu parlé à voix basse ? • Dans votre équipe, avez-vous réussi facilement à vous mettre d'accord sur vos choix de réponses ?

Qui suis-je ?

Écris la profession ou le rôle de chacune des personnes qui ont écrit les phrases suivantes.

1. Je devrai réparer le moteur de votre automobile.

    _____

2. J'ai capturé le voleur que je recherchais depuis longtemps.

    _____

3. Je vous donne une contravention, car vous avez brûlé un feu rouge.

    _____

4. Je devrai faire une intervention chirurgicale à votre caniche.

    _____

5. Voici les médicaments qui sont indiqués sur votre ordonnance.

    _____

6. Ça vous coûtera 2 $ pour faire réparer votre soulier.

    _____

7. Cette dent n'est plus réparable, je devrai vous l'extraire.

    _____

8. J'ai terminé cette sculpture hier soir.

    _____

9. Est-ce que je dépose aussi ce chèque dans votre compte ?

    _____

10. J'ai oublié mon violon et mes feuilles de musique.

    _____

11. Est-ce que le plat commandé était à votre goût ?

    _____

12. As-tu aimé l'histoire que je viens de te lire ?

    _____

La maison incomplète

Matière : français
Degrés : 4e - 5e - 6e année du primaire
Équipes de : 2 élèves
Formation des équipes : par l'enseignante

Expérience en coopération : 1 – ❷ – 3 – 4
Temps prévu : environ 80 minutes
Mode d'interaction : cercles concentriques

Objectifs reliés au programme d'études

– Composer des phrases qui demandent d'exécuter une tâche (*voir la feuille « Complète la maison »*) ;

– Lire, comprendre et exécuter les tâches ainsi décrites.

Objectifs reliés à la coopération
(comportements, habiletés sociales)

– À consolider :
  • parler à voix basse ;
  • accepter ses partenaires ;
  • participer activement.

– À développer :
  • respecter les consignes ;
  • partager le matériel.

Interdépendance positive

But commun

Compléter des dessins en respectant les consignes.

Autres moyens

– Mode d'interaction des cercles concentriques ;

– Partage des ressources matérielles (matériel restreint) ;

– Organisation spatiale.

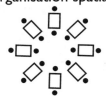

Matériel et ressources

– Pour chaque dyade :
  • 1 crayon à mine ;
  • 1 gomme à effacer ;
  • 1 feuille « Complète la maison » ;
  • 1 jeu de 6 crayons de couleurs différentes (les mêmes couleurs pour chaque dyade).

Responsabilité individuelle

Respecter son tour pour la lecture, l'écriture et le dessin.

Rétroaction

– Évaluation des objectifs reliés au programme d'études :
  • formative et qualitative en groupe-classe.

– Évaluation des objectifs reliés à la coopération :
  • individuelle (*voir la feuille « Auto-évaluation »*).

Assurez-vous de disposer d'un espace où les élèves pourront s'asseoir sur le sol en cercles concentriques.

Organisez d'avance le matériel : fixez au sol, en cercle, des photocopies de la feuille « Complète la maison », puis déposez les jeux de trois crayons de part et d'autre de chaque feuille (les élèves de chaque cercle ont tous le même trio de couleurs). Ainsi les élèves n'auront plus qu'à s'asseoir selon la formation des équipes prédéterminée par l'enseignante.

Présentation aux élèves et réalisation de l'activité

1. Demandez aux élèves de se placer en cercles concentriques.

   Dans le cas d'un groupe ayant un nombre impair d'élèves, différentes solutions peuvent être envisagées :

   a) faire participer une ou un élève d'une autre classe ;

   b) faire jouer le rôle d'observateur à une ou un élève ;

   c) au moment de la rotation, faire entrer l'élève dans un cercle, et en faire sortir une ou un autre.

2. Présentez les objectifs reliés à la coopération à consolider et à développer, et les écrire au tableau.

3. Expliquez la tâche.

   Les élèves placés dans le cercle extérieur possèdent tous et toutes le même jeu de trois couleurs. Ceux et celles du cercle intérieur possèdent des crayons des trois autres couleurs. La feuille se trouve entre les deux membres de l'équipe.

   Indiquez aux élèves qu'à toutes les trois minutes, les élèves du cercle extérieur se déplaceront une fois vers la droite.

4. Demandez aux personnes qui ont un crayon de couleur brune d'exécuter la consigne et aux membres de l'équipe de rédiger, en variant le vocabulaire, une nouvelle consigne qui exige l'utilisation d'une couleur qui ne se trouve pas sur le dessin. Les élèves doivent tenir compte des consignes précédentes. Faites une démonstration avant de commencer l'activité et précisez qu'il doit y avoir alternance dans l'exécution de la tâche (lire, écrire et dessiner). Ajoutez que les élèves doivent écrire à tour de rôle et que toutes les couleurs doivent avoir été utilisées au moins une fois avant qu'ils puissent composer une consigne avec la couleur brune, la première utilisée.

Évaluation des objectifs reliés au programme d'études

- Qu'est-ce que vous avez trouvé facile ou difficile dans cette activité ?
- Comment avez-vous réagi au fait d'ajouter des détails ou des consignes aux dessins des autres ?
- Les consignes étaient-elles faciles ou difficiles à comprendre ?

Auto-évaluation

1. As-tu respecté les consignes suivantes ?

   Dessiner chacun son tour.   Oui ❑   Non ❑

   Lire chacun son tour.   Oui ❑   Non ❑

   Écrire chacun son tour.   Oui ❑   Non ❑

2. As-tu participé de façon active à cette activité ?

   Toujours ❑   Souvent ❑

   Parfois ❑   Jamais ❑

   Explique ta réponse.

   _____

   _____

   _____

   _____

3. As-tu laissé la chance à tes partenaires de bien participer ?

   Oui ❑   Non ❑

   Explique ta réponse.

   _____

   _____

   _____

   _____

Complète la maison

1. Dessine une clôture brune.

2. _____

3. _____

4. _____

5. _____

6. _____

7. _____

8. _____

9. _____

10. _____

Les oiseaux

Matières: français, mathématiques, sciences de la nature

Degrés: 2e à 4e année du primaire

Équipes de: 3 élèves

Formation des équipes: par l'enseignante

Expérience en coopération: 1 – ❷ – 3 – 4

Temps prévu: environ 45 minutes (30 minutes en équipes et 15 minutes en séance plénière)

Mode d'interaction: tour de table

Objectifs reliés au programme d'études

- Comprendre des consignes orales;

- Réviser le vocabulaire et les notions déjà travaillées:
  - les oiseaux;
  - les figures géométriques;
  - les notions spatiales.

Objectifs reliés à la coopération
(comportements, habiletés sociales)

- À consolider:
  - rester dans son équipe;
  - parler à voix basse;
  - parler à son tour;
  - écouter la personne qui parle;
  - partager le matériel;
  - participer activement.

- À développer:
  - s'entraider;
  - discuter la réponse avec ses coéquipiers;
  - s'entendre pour nommer la ou le porte-parole.

Interdépendance positive

But commun

Faire consensus sur l'oiseau qui habite dans chaque nid.

Autres moyens

- Partage des ressources matérielles (matériel restreint);

- Partage des ressources humaines (rôles);

- Organisation spatiale.

Matériel et ressources

Pour chaque équipe:
- 1 feuille «Consignes»;
- 1 feuille «À qui le nid?»;
- 1 feuille «Réponses»;
- 1 crayon;
- 1 gomme à effacer.

Responsabilité individuelle

- Adopter le mode d'interaction pour réaliser à son tour une partie de la tâche;

- Assurer la rotation des rôles;

- Choisir au hasard la ou le porte-parole.

Rétroaction

- Évaluation des objectifs reliés aux programmes d'études:
  - formative et qualitative et lors de la séance plénière.

- Évaluation des objectifs reliés à la coopération
  - formative qualitative et lors de la séance plénière.

Ce thème a été choisi pour un projet d'intégration. Les élèves de la classe de langage et de 4ᵉ année régulière ont travaillé en coopération sur les oiseaux pendant quelques semaines. Cette activité a été réalisée ensuite dans chaque classe pour reviser certains acquis.

– Placez les pupitres pour faciliter le tour de table.
– Photocopiez pour chaque équipe les feuilles «Consignes», «À qui le nid ?», «Réponses» et les dessins.
– Écrivez au tableau les comportements attendus (*voir la grille-synthèse*).

Présentation aux élèves et réalisation de l'activité

1. Formez les équipes.
2. Présentez et distribuez le matériel nécessaire.
3. Expliquez la tâche.

   En équipe, il faut découvrir l'oiseau qui habite dans chaque nid. Chaque membre de l'équipe prend au hasard une des trois feuilles. Ainsi, chaque élève sera à son tour lectrice ou lecteur, scripteuse ou scripteur, ou détective. Celle ou celui qui a la feuille «Consignes» lit la première. Celle ou celui qui a la feuille «À qui le nid ?» est détective et tente de trouver le nid correspondant à la consigne et le montre aux autres membres de l'équipe. Si tout le monde est d'accord, elle ou il donne le nom de l'oiseau et le numéro du nid à la scripteuse ou au scripteur qui l'inscrit sur la feuille «Réponses». S'il y a désaccord, l'équipe discute pour arriver à un consensus.

   Les trois feuilles circulent dans le sens des aiguilles d'une montre, et le processus recommence pour chaque nouvelle consigne.

   Chaque équipe doit s'entendre pour nommer sa ou son porte-parole.

   Lors de la séance plénière, la ou le porte-parole d'une équipe déterminée au hasard présente les réponses. Les autres équipes vérifient si elles ont les mêmes résultats. Sinon, leur porte-parole en discute devant la classe.
4. Précisez la durée de l'activité.
5. Rappelez les comportements attendus et ceux qu'on veut développer, en se référant au tableau.
6. Observez le travail des équipes. Donnez le soutien nécessaire.

Évaluation des objectifs reliés au programme d'études	Évaluation des objectifs reliés à la coopération
• Pensez-vous que chaque nid correspond vraiment à l'oiseau que nous y avons placé ? Pensez-vous que le nid d'aigle ressemble vraiment à celui que vous voyez sur votre feuille ? • Quelles sortes de nids avez-vous déjà vues ? • Est-ce qu'il y a des oiseaux qui ne font pas de nid ?	• Qu'est-ce qui serait arrivé si vous aviez eu à faire cette tâche seule ou seul ? • Comment vous êtes-vous entraidés ? Faites ressortir qu'il était plus facile de faire circuler les trois feuilles en équipe coopérative que de les manipuler seule ou seul.

RÉTROACTION	**Évaluation des objectifs reliés à la coopération** (*suite*)
	• Comment avez-vous choisi la ou le porte-parole dans votre équipe ?
	• Parmi les comportements attendus, est-ce qu'il y avait des comportements plus difficiles à respecter ? Si oui, pourquoi ?
PROLONGEMENT	– Faites une recherche :
	• sur les différentes sortes de nids pour trouver l'image du nid de chaque oiseau étudié ; (Préparez, par exemple, une entrevue avec un ornithologue.)
	• sur d'autres animaux qui vivent dans d'autres sortes de nids (guêpes, poissons, petits rongeurs, etc.) ;
	• sur différents types d'habitations des êtres vivants (animaux ou humains, jusqu'aux styles et modes dans l'architecture).

Consignes

C'est le printemps. Les oiseaux font leur nid.

Peux-tu trouver à qui appartient chaque nid, si tu sais que :

1. Le pigeon n'habite pas dans le cercle, mais il niche à droite du carré.

2. L'aigle habite dans le rectangle, mais non dans le losange.

3. Le pic chevelu habite sous le triangle, mais pas à l'intérieur du carré.

4. Le goéland argenté habite dans le cercle et le carré.

5. La chouette n'habite que dans le carré.

6. Le martin-pêcheur habite dans le losange, mais non dans le rectangle.

7. Le grand héron habite dans le carré et le triangle.

8. La sittelle habite entre le cercle et le losange, mais à l'extérieur du rectangle.

9. Le harfang habite à gauche du triangle.

10. Le moineau domestique habite en dessous du rectangle.

11. La corneille habite au-dessus du carré et à droite du triangle.

12. La grive habite dans le losange et le rectangle.

Réponses

Noms : _____ _____ _____

Écris le nom du propriétaire du nid portant le numéro…

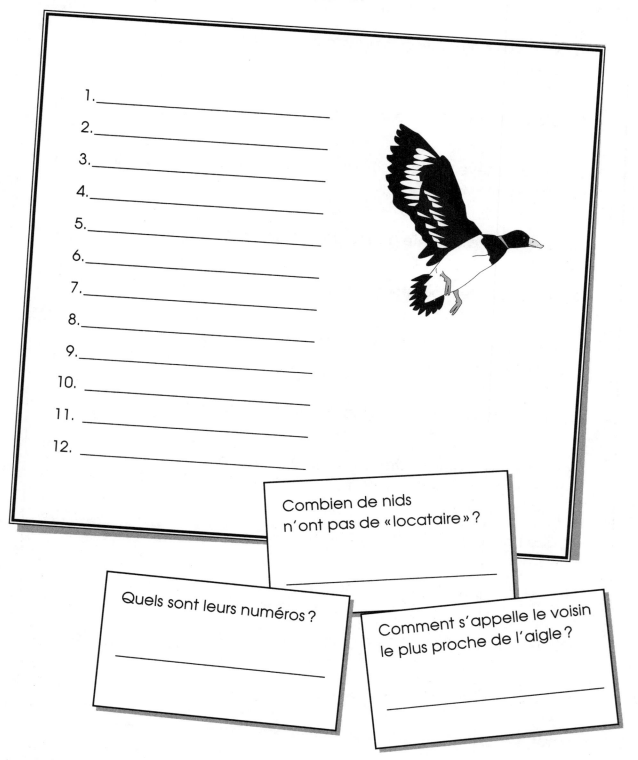

1._____

2._____

3._____

4._____

5._____

6._____

7._____

8._____

9._____

10._____

11._____

12._____

Combien de nids
n'ont pas de « locataire » ?

_____

Quels sont leurs numéros ?

_____

Comment s'appelle le voisin
le plus proche de l'aigle ?

_____

À qui le nid ?

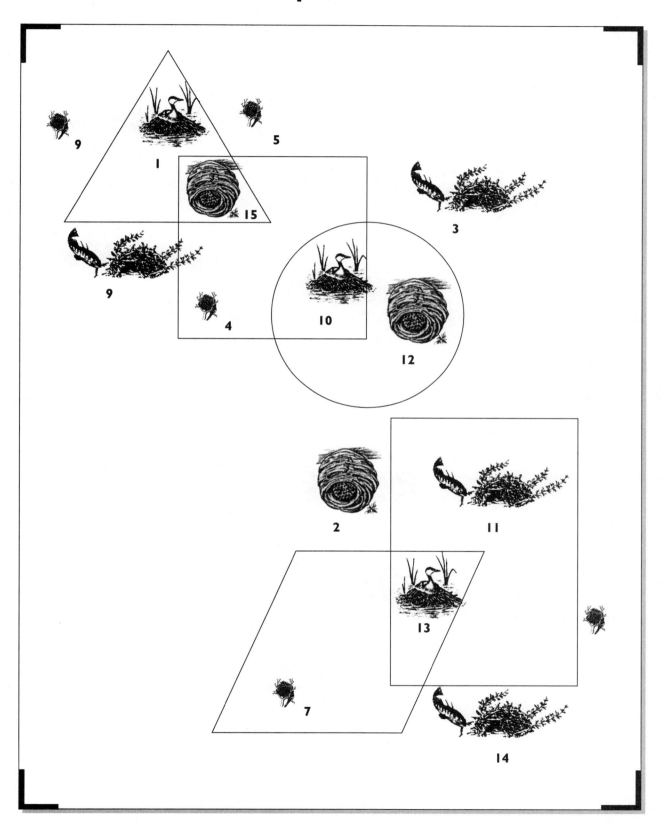

FICHES
EXPLICATIVES

1. L'implantation de la pédagogie de la coopération

Dans la pédagogie de la coopération, nous devons distinguer deux processus différents : celui d'une enseignante qui s'initie à ce type de pédagogie et celui d'un groupe qui s'initie au travail en coopération. Souvent, les deux démarches se déroulent simultanément pour l'enseignante novice. On risque alors de confondre ce qui revient à l'enseignante et ce qui appartient au groupe.

Il importe que l'enseignante qui désire adopter ce type de pédagogie se donne le temps de se familiariser avec cette approche et de respecter son rythme pour intégrer certains changements dans son enseignement. Elle devrait donc commencer par une activité ou des activités dans une matière où elle se sent à l'aise. Si elle se fixe des objectifs trop ambitieux et oublie que son groupe doit également s'adapter à un processus de changement, elle risque fortement de se décourager et d'abandonner pour revenir à sa façon habituelle d'enseigner. Il faut se donner le droit à l'erreur et apprendre de ses essais et erreurs. Il est même souhaitable et plus encourageant que *plusieurs* enseignants s'initient ensemble à la pédagogie de la coopération. Ils pourront alors se soutenir les uns les autres, observer leurs actions et discuter de leurs expériences.

Dans cette fiche, nous ne considérons que le processus du groupe ; nous proposons une démarche pour initier un groupe au travail en coopération.

Le climat

Avant d'aborder le travail en équipe, il est primordial de se préoccuper de l'ensemble de la classe pour favoriser un climat de confiance entre les élèves, mais aussi entre l'enseignante et les élèves. Il ne faut pas oublier qu'avant de faire partie d'une équipe, les élèves appartiennent à un groupe-classe. On doit alors susciter dans la classe un esprit d'entraide en instaurant de nouvelles normes ou règles de fonctionnement. Les élèves peuvent non seulement demander de l'aide, mais ils ont également le droit d'en recevoir et ils ont aussi l'obligation d'aider les autres. Sans ce climat d'entraide, la pédagogie de la coopération risque de se résumer à des structures d'organisation du travail en équipe. Il importe de ne pas perdre de vue l'essentiel. Ce climat au sein de la classe doit être une préoccupation constante ; non seulement au début, dans les activités structurées en coopération, mais en tout temps.

Le développement d'habiletés coopératives

Favoriser un climat positif au sein du groupe permet déjà de développer des habiletés coopératives, telles que s'entraider, partager, tenir compte des besoins des autres. Au fur et à mesure que les élèves s'initient au travail en coopération, l'enseignante doit mettre en valeur d'autres habiletés essentielles telles que participer, s'exprimer, puis, graduellement, les habiletés nécessaires pour les activités proposées. Plus les activités sont complexes et plus les modes d'interaction choisis donnent de l'autonomie aux élève, plus ceux-ci devront maîtriser des habiletés coopératives exigeantes, telle les capacités de gérer des conflits et de jouer le rôle de médiateur.

Les regroupements informels et les activités de courte durée

Pour favoriser ce climat d'entraide et pour habituer les élèves à travailler avec d'autres, nous suggérons certaines activités préparatoires. Celles-ci sont courtes, simples, bien définies et elles s'intègrent à la vie quotidienne de la classe. L'enseignante peut y recourir spontanément, sans préparation spéciale, dans plusieurs situations. Avec ces activités, les habiletés coopératives ne sont pas nécessairement abordées ou mentionnées directement, mais elles offrent des occasions de les pratiquer. Plusieurs structures simples ou modes d'interaction peu complexes proposés par Spencer Kagan se prêtent très bien à ce genre d'activités.

Au début, on propose certaines activités qui comprennent un travail individuel suivi d'une courte activité à deux ; pour regrouper les élèves, on leur demande de se joindre à leur voisine ou à leur voisin de droite, ce qui implique peu de déplacements ou d'organisation physique $(1 \rightarrow 1 \times 1)$. Par exemple, on leur demande de comparer les réponses de leur devoir, d'en discuter et de se donner des explications ; on leur donne aussi la possibilité de modifier leurs réponses initiales à l'aide d'un crayon de couleur différente en expliquant pourquoi, ce qui permet à l'enseignante de comprendre le cheminement des élèves. Ces activités permettent de développer les habiletés coopératives suivantes : s'entraider, s'exprimer, expliquer et justifier (Se regrouper en dyade / Partager / Écrire). Pour familiariser les élèves au travail à quatre, on peut leur demander, après leur travail à deux, de se joindre à une autre dyade, de comparer leurs réponses et de se donner des explications s'il y a lieu (Seul – à deux – à quatre) ou $(1 \rightarrow 1 \times 1 \rightarrow 2 \times 2)$.

On peut aussi recourir à ces regroupements informels sans qu'il y ait un travail individuel préalable. Avant d'aborder un nouveau thème en sciences naturelles, on demande aux élèves de partager avec leur voisine ou leur voisin de gauche les informations, les connaissances qu'ils possèdent déjà sur le sujet qui sera traité, ce qui permet à l'enseignante d'adapter son enseignement en fonction de leurs connaissances antérieures. On peut interrompre une explication à toute la classe et leur demander de se joindre à leur voisine ou à leur voisin pour trouver l'idée principale, ou répondre à deux questions. À la fin d'un exposé à toute la classe, on leur demande de se mettre à deux pour résumer les concepts expliqués et essayer de s'expliquer ce qu'ils ne comprennent pas. Par la suite, ils peuvent également se regrouper par quatre.

Les regroupements formels et les activités plus complexes

Au fur et à mesure que les élèves s'habituent à échanger avec d'autres, il est temps de favoriser des regroupements pour des activités de plus longue durée, telle une période complète, puis des activités qui s'échelonnent sur plus d'une rencontre. On doit commencer par de petites équipes, même de deux élèves, et augmenter progressivement ce nombre sans dépasser cinq ou six élèves. Des équipes de quatre élèves semblent souvent le type idéal de regroupement pour plusieurs activités.

Plus les équipes comptent de membres et plus les activités durent longtemps, plus il est important de tenir compte de la composition des équipes. Il faut commencer par des équipes qui travaillent ensemble le temps d'une activité, puis envisager la possibilité de regrouper les mêmes équipes pour une certaine période de temps ou la formation d'équipes de base.

Dans les premières activités, l'organisation du travail et les interactions entre les élèves doivent être très structurées. Lorsque les élèves maîtrisent bon nombre d'habiletés coopératives, on doit leur laisser plus d'autonomie pour régler eux-mêmes leur fonctionnement. Il faut réaliser que plus les élèves sont autonomes dans le travail en équipe, plus le risque de conflit augmente. L'apprentissage des rôles est alors une étape importante pour leur permettre d'assumer une partie du travail habituellement dévolu à l'enseignante. Pour habituer les élèves à jouer leur rôle tout en continuant à participer au travail de l'équipe, nous suggérons de commencer par une activité simple et par les rôles plus techniques tels que scripteur, lecteur et responsable du matériel, et d'introduire graduellement les rôles liés au climat dans l'équipe et aux interactions entre les élèves tels que harmonisateur et chercheur de consensus en s'assurant que les élèves maîtrisent les habiletés coopératives pour jouer ces rôles, comme pouvoir solutionner positivement des conflits.

L'enseignement des rôles se fait de la même façon que pour le développement des habiletés coopératives. Par exemple, l'enseignante pourrait organiser des activités structurées comme «Chacun son tour» où la participation de chacune et chacun est prévue, puis comme «Penser/Se regrouper en dyade/Partager» ou ses variantes avant de former des groupes hétérogènes régis par des rôles. On ne doit envisager «la controverse créative», qui est très exigeante tant sur le plan social que cognitif, que pour des élèves qui ont une riche expérience en coopération. On ne peut considérer cet exemple de progression comme un objectif à atteindre en un an, surtout si les élèves n'ont aucune expérience en coopération. On doit plutôt retenir l'idée d'une progression à respecter, alors que celle-ci n'est pas la même pour tous. On doit adapter cette progression à chaque groupe d'élèves en prenant en considération différents aspects, tels que leur âge et le type de groupe (exemples : élèves atteints d'audimutité, classes d'accueil, élèves ayant des troubles de comportement, élèves surdoués, etc.). Il serait risqué de complexifier les échanges le plus vite possible ; il est préférable de progresser plus lentement, mais sûrement.

La coopération entre les équipes

Quand les élèves ont une bonne expérience du travail en équipe, il est possible d'envisager un projet de classe qui implique non seulement la coopération à l'intérieur des équipes, mais aussi entre les équipes. Comme pour le fonctionnement entre les membres d'une même équipe, les échanges entre les équipes peuvent être plus ou moins structurés. On doit alors mettre sur pied des projets où il y a répartition du travail entre les équipes et où la contribution des équipes s'ajoute les unes aux autres, sans qu'il soit nécessaire pour les équipes de travailler ensemble. Par exemple, la création d'un herbier suppose qu'il y a autant de plantes que d'équipes. Plus le projet nécessite de coordination entre les équipes, comme l'organisation d'une classe de neige, plus le risque de conflit augmente. Il faut donc être très prudent avant d'élaborer de tels projets et bien préparer les élèves pour ce type de travail. Au début, l'enseignante peut superviser ces échanges, puis elle peut veiller à la mise en place d'un comité de coordination pour lequel chaque équipe a nommé une représentante ou un représentant.

Encore une fois, chaque enseignante doit adapter la démarche proposée à son groupe. Il n'y a pas une progression linéaire identique pour tous. On doit considérer simultanément plusieurs dimensions : l'âge des élèves, la spécificité du groupe, les objectifs académiques visés, la complexité de la tâche, le mode d'interaction, l'expérience du travail en équipe, les habiletés coopératives acquises antérieurement, la réaction des élèves et des parents, etc. S'ouvrir à la pédagogie de la coopération, c'est s'engager dans une démarche créative.

2. Le rôle de l'enseignante

Quelques savoir-faire préalables sont nécessaires à toute enseignante qui veut implanter la pédagogie de la coopération dans sa classe et jouer son rôle de façon adéquate. Elle doit posséder une volonté de perfectionnement continu ; s'engager de façon personnelle dans un travail d'équipe ; implanter une gestion de classe participative.

Perfectionnement continu

Tout changement exige une capacité d'adaptation chez la personne qui s'y engage. C'est pourquoi l'enseignante qui désire implanter cette pédagogie doit chercher et trouver les ressources nécessaires qui l'aideront à répondre aux nombreux questionnements qu'entraîne la pratique de la coopération : lectures personnelles, cours, ateliers de formation ou de perfectionnement, etc.

Engagement personnel dans un travail d'équipe

La meilleure façon pour l'enseignante d'améliorer son approche est de rester sensible aux difficultés que traversent les élèves dans leur vie de groupe, en participant avec d'autres adultes à des équipes de réflexion qui fonctionnent sous le mode coopératif et en se joignant à quelques collègues de confiance pour concevoir ou planifier des activités.

Préparer seule le travail pour ses élèves ne donne pas les moyens d'évaluer son action, comprendre le pourquoi de ses difficultés et transmettre à d'autres ses découvertes et ses succès. Un engagement dans une équipe de coopération reste donc un moyen efficace d'adaptation au changement.

Gestion de classe participative

Le travail de groupe en coopération suppose de laisser aux élèves une part d'autonomie dans leurs apprentissages. La gestion de classe participative s'appuie sur les mêmes principes pour l'organisation générale de la vie en classe. Cette cohérence entre le travail d'équipe coopératif et le fonctionnement de la classe établit entre les élèves et l'enseignante un lien nécessaire qui garantit l'atteinte des objectifs de participation et de coopération.

Rôles de l'enseignante

La différence entre la pédagogie de coopération et l'approche traditionnelle réside principalement dans la marge d'autonomie que l'enseignante délègue à ses élèves et le type d'aide qu'elle leur apporte pour qu'ils soient en mesure de s'organiser de façon harmonieuse et efficace.

Elle veille à ne pas réduire le travail de coopération à quelques techniques passagères qui sont susceptibles de disparaître rapidement quand l'attrait de la nouveauté sera passé. La préparation, la réalisation et l'évaluation des activités doivent se faire dans un tout autre esprit. Ces caractéristiques entraînent pour l'enseignante des façons particulières de jouer son rôle.

Préparation de l'activité

Dans sa préparation immédiate, elle fixe clairement les objectifs reliés au programme d'études et les autres qui sont reliés à la coopération ; détermine le but commun et les autres moyens d'établir l'interdépendance positive dans le groupe ; clarifie la responsabilité individuelle ; prépare le matériel et les ressources nécessaires à tous les participants ; vérifie l'hétérogénéité des équipes et la complémentarité de leurs membres ; précise le contenu et le mode d'évaluation.

Réalisation de l'activité

Même si c'est l'enseignante qui connaît le programme d'études et qui fixe l'ensemble de la démarche à suivre, il y a une grande part de l'activité qui tombe sous la responsabilité des élèves.

En effet, la formule classique de l'enseignement direct à l'ensemble des élèves suivie d'exercices et d'évaluations individuelles est utilisée beaucoup moins souvent dans une classe où l'enseignante a compris l'utilité, l'efficacité et les avantages de l'une ou l'autre approche. C'est un changement important qui est simple à comprendre, mais très complexe à mettre en place. Cette complexité ne tient pas surtout à la difficulté de la préparation ou de l'organisation de l'activité, mais bien à la conception dont les enseignants héritent de leur formation initiale et qui donne tout le crédit de l'apprentissage aux exposés et aux explications provenant directement de l'enseignante.

La transformation de cette mentalité est longue et difficile à opérer autant chez l'adulte que chez l'enfant et souvent chez les parents. Comment amener les élèves à se faire confiance au point où ils croiront qu'en se parlant, en discutant, en travaillant ensemble et en prenant en main leur apprentissage, ils pourront résoudre un grand nombre de problèmes que comportent les tâches qui leur sont soumises ? Graduellement, ils découvriront que les équipes peuvent fonctionner de façon autonome et qu'elles n'ont pas besoin de se référer constamment à l'enseignante.

Ce changement n'est pas magique. Il suppose de la part de l'enseignante son engagement personnel dans un travail d'équipe. Il faut aussi que la tâche à effectuer soit bien conçue et que les instructions soient claires. Pendant le déroulement de l'activité, il arrive parfois que l'enseignante ne perçoive pas exactement quel rôle elle doit jouer. Certains enseignants disent : « Je n'arrive pas à suivre toutes ces activités parallèles. » D'autres, par contre, se sentent un peu inutiles devant l'autonomie grandissante de leurs élèves.

Il arrive parfois que l'enseignante se sente obligée d'intervenir pour régler des problèmes d'ordre disciplinaire ou reliés à la tâche. Or, elle ne doit pas oublier de faire une observation systématique qui lui sera très utile pour la rétroaction et la planification subséquente. L'intervenante, comme son nom l'indique, a tendance à beaucoup intervenir durant le travail d'équipe, mais éprouve plus de difficultés à observer. Elizabeth Cohen donne les conseils suivants dans ce domaine.

Ne vous précipitez pas pour intervenir au premier signe de diffi-culté! Tenez-vous suffisamment loin pour que votre présence ne soit pas importune. Écoutez attentivement et faites une hypothèse sur le type de problème qui se pose... Le problème vient-il du fait que les élèves ne savent pas comment procéder ou du fait qu'il leur manque des connaissances de la matière? Après avoir écouté et observé, vous déciderez peut-être que le groupe est capable de régler ses problèmes et qu'il n'a pas besoin de vous.

Si vous décidez d'intervenir, ce que vous ferez dépendra de votre hypothèse sur la nature du problème[1].

Évaluation de l'activité

En dernier lieu, il est important de procéder à l'évaluation des objectifs reliés au programme d'études et à la coopération. C'est une étape essentielle à l'évolution des groupes en apprentissage coopératif. Quand arrive ce moment, les élèves sont souvent fatigués ou manquent de temps et, finalement, on omet cette partie de l'activité. Le regard critique sur le travail de groupe est nécessaire pour repérer les forces et les faiblesses, et rectifier la situation pour les prochaines fois. De plus, l'évaluation avec les élèves est une étape importante qui leur permet d'acquérir graduellement les instruments nécessaires pour mesurer leur évolution dans le domaine des apprentissages scolaires autant que dans les habiletés coopératives.

Quant à l'enseignante, c'est aussi une occasion de réfléchir sur son enseignement en vue de rajuster ses interventions pour l'avenir. Par conséquent, on doit planifier le temps nécessaire pour permettre cette partie de l'activité, qui se révèle béné-fique tant pour les élèves que pour l'enseignante.

Conclusion

On le comprend, le rôle de l'enseignante en pédagogie de la coopération est central. Si elle comprend bien les principes de base, elle ne la réduit pas à une technique passagère, mais procède de façon à transmettre la philosophie qu'elle sous-tend.

---

1. Elisabeth COHEN, *Le travail de groupe: stratégies d'enseignement pour la classe hétérogène*, Montréal, Les Éditions de la Chenelière, 1994, p. 169.

3. Le climat

Favoriser un climat de confiance entre les élèves et l'enseignante, et aussi entre les élèves, est une condition essentielle à tout apprentissage, qu'il se fasse dans un contexte coopératif ou individuel.

La conception de la classe comme un lieu d'apprentissage est la seule qui conduise l'élève à prendre des risques et, en quelque sorte, à oser apprendre. Au contraire, la conception de la classe comme un lieu qui poursuit des buts d'évaluation diminue le nombre de risques que l'élève accepte de prendre puisqu'il s'agit essentiellement d'un contexte qui consiste à valider ses connaissances[1].

Cette façon d'envisager l'apprentissage exige l'implantation d'un climat de confiance et d'ouverture. Ce climat est d'autant plus important quand il s'agit d'apprentissage coopératif. En effet, avant d'introduire le travail en groupes restreints, il est essentiel que les élèves se sentent suffisamment à l'aise pour s'ouvrir aux autres, les valoriser et accepter leurs différences. Créer ce climat, c'est aider les élèves à acquérir certaines habiletés qui sont associées de façon plus précise au travail en coopération. L'enseignante doit être attentive à maintenir cette ambiance non seulement durant la période d'implantation, mais aussi durant toute l'année scolaire.

Pour soutenir les élèves dans l'acquisition ou le maintien des comportements de base exigés dans le travail d'équipe en coopération, il serait avantageux que l'enseignante possède une banque d'activités de climat ou de réchauffement qu'elle peut utiliser de manière préventive ou quand elle observe des fléchissements chez certains élèves. Ces activités peuvent être reliées aux objectifs d'apprentissage ou de coopération à atteindre (*voir l'activité «Les métiers et les professions»*), tenir lieu elles-mêmes de leçon entière (*voir l'activité «Mieux se connaître»*), ou simplement disposer les élèves à une participation active.

Dans cette fiche, nous proposons des activités propices à susciter ou à conserver un climat favorable au travail en coopération. L'enseignante peut évidemment les aménager, les compléter ou les transformer au fil de ses expériences.

Activités de climat pour le travail en classe

TITRE DE L'ACTIVITÉ	OBJECTIF
TROUVE QUELQU'UN QUI...	Apprendre à mieux se connaître

Déroulement

Distribuez à chaque élève une feuille divisée en 12 cases ou plus. Inscrivez un chiffre différent dans chaque case. Demandez à chaque participante et participant de choisir un chiffre significatif pour elle ou lui et, ensuite, trouvez une ou des personnes qui ont fait le même choix. En équipes de deux ou plus, expliquez les raisons de ce choix.

---

1. Jacques TARDIF, *Pour un enseignement stratégique*, Montréal, Éditions Logiques, 1992, p. 142.

1	9	15	3
6	22	11	7
30	4	12	2

On peut aussi inscrire tout autre sujet dans les cases (pays, fruits, légumes, émissions de télévision, types de musique, couleurs, animaux, etc.).

Rétroaction

- Qu'avez-vous appris de nouveau sur les autres ?

2 **TITRE DE L'ACTIVITÉ**	**OBJECTIFS**
TROUVE QUELQU'UN QUI…	– Apprendre à mieux se connaître ; – valoriser les différences.

Déroulement

Distribuez à chaque élève une feuille divisée en plusieurs cases. Inscrivez une phrase différente dans chaque case.

Joue d'un instrument de musique.	Parle une autre langue que le français.
Sait tricoter.	Fait de la bicyclette.
A visité un autre pays.	Aime faire la cuisine.
Sait nager.	Peut utiliser un traitement de texte.
Ne mange pas de viande.	A un composteur à la maison.

En circulant dans la classe, trouvez une personne qui correspond à une description, inscrivez son nom dans la case qui convient.

Rétroaction

- Qu'avez-vous appris de nouveau sur les autres ?
- Que pensez-vous de tous les talents que nous avons dans la classe ?

3 **TITRE DE L'ACTIVITÉ**	**OBJECTIFS**
LIGNE CONTINUE SELON LE MOIS DE NAISSANCE	– Apprendre à mieux se connaître ; – valoriser l'entraide.

Déroulement

En silence, formez une ligne selon l'ordre du mois de naissance.

Rétroaction

- Quels moyens avez-vous utilisés pour vous faire comprendre ? Pour comprendre les autres ?
- Avez-vous découvert des façons nouvelles de vous exprimer sans utiliser la parole ?

4 **TITRE DE L'ACTIVITÉ**	**OBJECTIFS**
LIGNE CONTINUE SELON LA DISTANCE ENTRE L'ÉCOLE ET LE LIEU DE VOTRE NAISSANCE	– Apprendre à mieux se connaître ; – apprendre des éléments de géographie ; – apprendre à calculer en kilomètres.

Déroulement

Informez les autres de son lieu de naissance. Estimez la distance par rapport à l'école. Discutez de la distance avec les autres participants. Placez-vous au bon rang.

Rétroaction

- Avez-vous eu besoin d'aide pour trouver votre place ?
- Avez-vous aidé quelqu'un ?
- Avez-vous appris quelque chose de nouveau sur d'autres élèves ?

5 **TITRE DE L'ACTIVITÉ**	**OBJECTIFS**
CONTINUUM	– Au début de l'année, apprendre les prénoms ; – apprendre à se connaître ; – apprendre à donner de l'aide.

Déroulement

Demandez au premier élève de dire son prénom, au deuxième de le répéter et de dire le sien, au troisième de répéter les prénoms du premier et du deuxième, et de dire le sien, et ainsi de suite.

Rétroaction

- Combien de prénoms avez-vous appris ?
- Avez-vous eu besoin d'aide ?
- Avez-vous donné de l'aide ? Par quels moyens ?

6 **TITRE DE L'ACTIVITÉ**	**OBJECTIFS**
JE PRÉFÈRE / JE ME SOUVIENS	– Apprendre à mieux se connaître ; – créer un sentiment d'appartenance à la classe ou à l'école.

Déroulement

Placez les élèves en deux cercles concentriques face à face. Chaque personne prend 30 secondes pour réfléchir et une minute pour répondre à la question : «Quelle est ton activité préférée dans la classe ?» ou «Quel est ton meilleur souvenir de l'école ?»

Les élèves du cercle intérieur commencent à répondre, ceux du cercle extérieur font de même et ensuite se déplacent dans le sens des aiguilles d'une montre pour se retrouver devant une nouvelle ou un nouveau partenaire.

Rétroaction

- Qu'est-ce que vous avez aimé dans cette activité ?
- Avez-vous trouvé des suggestions ou des idées nouvelles que nous pourrions mettre en pratique ?

7	TITRE DE L'ACTIVITÉ	OBJECTIFS
	UN REPAS ORIGINAL	− Faire confiance aux autres ; − apprendre à se sensibiliser à leurs besoins.

Déroulement

Organisez un repas dans lequel on ne peut rien demander, on ne peut non plus se servir soi-même, mais manger ou boire seulement ce que la voisine ou le voisin de gauche vous offre.

Rétroaction

- Avez-vous eu tout ce dont vous aviez besoin ?
- Croyez-vous que votre voisine ou votre voisin de droite a manqué de quelque chose ?
- Qu'avez-vous trouvé difficile dans cette activité ?
- Devrait-on la recommencer ?

8	TITRE DE L'ACTIVITÉ	OBJECTIFS
	MESSAGES POSITIFS	− Accroître l'estime de soi ; − créer ou augmenter un climat positif dans la classe.

Déroulement

Placez les élèves en grand cercle. Donnez à chacune et à chacun une enveloppe et une quantité de cartons égale au nombre de participants. Demandez-leur d'écrire leur nom sur l'enveloppe, de la remettre à leur voisine ou à leur voisin de droite, d'écrire un message positif à l'élève dont le nom est inscrit sur l'enveloppe qu'ils ont reçue de la voisine ou du voisin de gauche et de la faire circuler à leur droite. Tous les élèves exécutent cette tâche jusqu'à ce que toutes les enveloppes aient fait le tour de la classe.

Soyez vigilante ! Demandez aux élèves de signer leurs messages afin d'éviter les mauvaises blagues.

Rétroaction

- Qu'avez-vous découvert de nouveau sur vous-même ?
- Pourriez-vous le dire devant toute la classe ou préférez-vous le garder pour vous ?

9 **TITRE DE L'ACTIVITÉ**	**OBJECTIFS**
LE CASSE-TÊTE	– Apprendre à écouter attentivement ; – apprendre à s'exprimer clairement ; – aider et encourager les autres.

Déroulement

Choisissez quelques casse-tête simples. Chaque membre du groupe a un sac contenant un quart des pièces (pour un groupe de quatre personnes). Chaque élève doit compléter le casse-tête sans avoir devant elle ou lui l'image du casse-tête assemblé. On peut parler, mais la tâche ne peut être terminée sans que chaque élève apporte sa contribution. Personne ne peut prendre la pièce d'une autre ou d'un autre et la placer pour elle ou lui. On peut se faire des suggestions et s'encourager, mais chaque élève doit faire sa partie du casse-tête.

Rétroaction

– Pouvez-vous expliquer comment et en quoi cet exercice vous sera utile pendant le travail de groupe en coopération ?

10 **TITRE DE L'ACTIVITÉ**	**OBJECTIF**
JEU D'ÉQUILIBRE	Améliorer sa rapidité d'adaptation aux autres.

Déroulement

Prévoyez un ballon par équipe de quatre élèves. Formez des équipes en plaçant les élèves par ordre alphabétique basé sur la première lettre du prénom. Placez les ballons au centre de la salle. Au coup de sifflet ou à l'arrêt de la musique, demandez aux groupes d'aller chercher un ballon. Nommez alors une partie du corps qui doit maintenir le ballon en équilibre sur les genoux réunis ; les coudes ; quatre doigts ; quatre talons ; etc.

Rétroaction

• Quelles difficultés avez-vous rencontrées ?
• Comment vous êtes-vous aidés ?
• Dites une chose que vous changerez la prochaine fois.

Activités de réchauffement pour le travail d'équipe

TITRE DE L'ACTIVITÉ	**OBJECTIFS**
LE MÉTIER OU LA PROFESSION LE PLUS EXCITANT[2]	– Favoriser un bon climat dans l'équipe ; – permettre aux élèves d'établir un premier contact.

Déroulement

Demandez à chaque membre de dire à tour de rôle quel est le métier ou la profession qui l'intéresse au plus haut point.

Rétroaction

• Avez-vous découvert des métiers ou des professions que vous ne connaissiez pas dans cette activité ?

12 TITRE DE L'ACTIVITÉ	**OBJECTIF**
TOUS LES MEMBRES DE L'ÉQUIPE AIMENT…	– Favoriser un bon climat dans l'équipe.

Déroulement

Trouvez une chanson, un mets, un sport ou un héros, etc., que tous les membres de l'équipe aiment.

Rétroaction

• Comment avez-vous procédé pour vous mettre d'accord ?

Prolongement

Enfin, quand les élèves ont acquis certaines habiletés coopératives, l'enseignante peut proposer des projets plus complexes qui se déroulent sur un laps de temps prolongé :
- le journal de classe ou de l'école pour susciter, exprimer et partager des intérêts par le moyen de l'écriture ;
- le conseil de coopération pour instaurer une gestion participative, idée empruntée au pédagogue français Célestin Freinet. (Chaque semaine, les élèves réunis en groupe-classe discutent différents aspects de leur vie à l'école et prennent les décisions nécessaires pour améliorer l'organisation et le fonctionnement de la classe.)

La réussite des projets à long terme s'appuie sur l'esprit d'entraide et d'acceptation des autres, mais en même temps favorise ces habiletés. Les suggestions de cette fiche donnent une mince idée des nombreuses activités qui aident à créer ou à maintenir un climat de confiance et d'ouverture aux autres, nécessaire au travail de coopération en groupes restreints. Cette sensibilisation aux relations positives, l'établissement de relations harmonieuses et la collaboration pour atteindre des buts communs préparent les jeunes à répondre aux exigences du monde du travail qui fait de plus en plus appel à cette forme d'organisation.

---

2. Voir l'activité « Les métiers et les professions », p. 34.

4. Les habiletés coopératives

Une grande erreur est de penser que les jeunes ont les habiletés nécessaires pour travailler en équipe. Il ne suffit pas de les regrouper en équipes et de leur dire de coopérer pour qu'ils coopèrent! Dans une telle situation, nous pourrions observer les comportements suivants: certains sont exclus du travail et ne participent pas parce qu'ils sont trop faibles sur le plan académique ou ne sont pas acceptés des autres, les plus forts peuvent vouloir tout faire ou les autres peuvent leur demander d'exécuter tout le travail pour avoir un meilleur résultat de groupe, une ou un élève peut traiter une ou un autre de «con» parce qu'elle ou il est en désaccord avec ce qu'elle ou il propose, deux élèves peuvent s'occuper à un tout autre travail ou parler d'un film, etc. Il n'est pas surprenant que les enseignants qui vivent de telles expériences renoncent à la coopération et reviennent à l'enseignement magistral et au travail individuel.

Travailler en coopération est beaucoup plus exigeant qu'il ne paraît au premier abord. Il ne s'agit pas seulement de demander aux élèves de se comporter de façon socialement acceptable en groupe, c'est aussi leur demander de travailler efficacement, d'apprendre ensemble et de s'assurer que tous apprennent. Lorsqu'il est question d'habiletés sociales, on se réfère souvent aux comportements ou à la capacité d'interagir convenablement avec les autres dans différents contextes, que ce soit avec ses amis, sa fratrie, ses parents, ses collègues de travail ou les autres élèves de la classe; on se réfère également aux comportements nécessaires pour vivre en société, pour s'intégrer dans un ensemble social, pour se sentir bien avec d'autres. Or, le travail en coopération est plus exigeant; aux objectifs sociaux et affectifs, s'ajoutent des objectifs cognitifs, des objectifs d'apprentissage reliés au programme d'études. De plus, on doit réaliser ces objectifs avec des partenaires non choisis la plupart du temps! La qualité des interactions entre les membres des équipes est primordiale et elle est étroitement liée à la quantité et à la qualité du travail en équipe qui en résulte.

Travailler en coopération implique la maîtrise de certains comportements de base propres à tout travail en équipe: se déplacer rapidement et calmement pour former les équipes; parler à voix basse pour ne pas déranger le fonctionnement des autres équipes; rester dans son équipe sauf lorsque l'activité exige des déplacements; rester centré sur la tâche; ne pas «embarquer sur les autres» même lorsqu'il y a une grande proximité physique entre les jeunes qui pourrait dégénérer en chamailleries. Par habiletés coopératives, nous référons peu à ces comportements organisationnels, mais surtout aux habiletés plus spécifiques au travail en coopération, telles les capacités de s'entraider, de communiquer, de solutionner positivement des conflits, d'encourager, etc.

L'entraide

L'habileté qui est au cœur de la coopération est l'entraide, laquelle exprime aussi l'esprit de la coopération. Dans la vie courante, on veut aider l'autre pour que le travail avance plus vite en moins de temps ou on le fait à sa place parce qu'il est moins habile dans ce domaine, et à un autre moment, la personne qu'on a aidée nous le rendra d'une autre façon. La coopération implique aussi cet esprit d'entraide, mais avec plus de rigueur, compte tenu des objectifs d'apprentissage. Dans l'entraide, il n'y a pas qu'une personne qui aide et une autre qui est aidée. Souvent, dans la vie, certaines personnes sont toujours volontaires pour aider, pour rendre service, comme si elles avaient la vocation de missionnaires, mais elles sont elles-mêmes incapables de demander de l'aide, habileté qu'elles doivent développer pour profiter pleinement du travail en coopération. À l'opposé, d'autres personnes qui sont très préoccupées par leurs propres apprentissages vont demander spontanément des explications, mais auront peut-être besoin de développer une plus grande sensibilité pour percevoir les besoins des autres. Entraider exige donc la capacité de demander de l'aide, de percevoir les besoins des autres et d'y répondre adéquatement pour maximiser les apprentissages de chacune et de chacun. Il se pourrait qu'une véritable entraide soit difficile pour des tâches académiques spécifiques lorsque les équipes sont trop hétérogènes sur le plan cognitif ou sur celui des connaissances ; elle pourrait davantage ressembler à du tutorat où les forts aident les faibles à sens unique.

En coopération, on doit développer l'esprit d'entraide tout en tenant compte des objectifs d'apprentissage. La motivation à aider ne suffit pas ; il faut apprendre *comment* aider pour que l'autre apprenne vraiment ; il n'est pas question de faire le travail à la place de l'autre ou de seulement donner la bonne réponse. À l'occasion et si c'est pertinent, aider peut se résumer à faire la même chose que l'autre pour en faire plus en moins de temps, comme lors d'un sondage où il s'agit d'interroger le plus de personnes possible pour avoir des résultats plus fiables. Souvent, s'entraider concerne l'aide que tantôt l'on reçoit, tantôt l'on donne, pour que chacune ou chacun devienne capable de faire seule ou seul ce qu'elle ou il ne pouvait faire sans aide, le travail en équipe pouvant être une étape pour que chacune ou chacun aille plus loin dans ses apprentissages. L'aide peut prendre différentes formes selon la tâche : il peut s'agir de démontrer à l'autre comment exécuter un mouvement en danse, d'expliquer une notion nouvelle à acquérir, de dessiner ou de faire un graphique pour rendre plus explicite un concept, de donner des indices ou de poser des questions pour faire cheminer l'autre dans sa démarche, etc. On peut aussi varier le type d'aide pour répondre à la façon d'apprendre de l'autre. Pour être pertinente, l'aide doit donc tenir compte de la tâche, mais aussi de la personne qui a besoin d'aide, ce dont on se soucie peu dans la vie courante. Cette approche est primordiale dans le travail en coopération. Ici, l'entraide vise de meilleurs apprentissages pour tous et une plus grande efficacité dans la réalisation de la tâche.

La communication

Les habiletés liées à la communication sont essentielles pour quiconque veut travailler en coopération ; elles peuvent aller du très simple au très complexe. Dans une activité structurée seulement, comme « Chacun son tour », il n'y a pas d'interaction entre les élèves ; il ne s'agit pas de susciter une discussion, mais plutôt de permettre à chacune ou à chacun de s'exprimer en suivant un certain ordre et des consignes. Tous les jeunes ne sont pas à l'aise pour s'exprimer lorsqu'ils sont en groupe et sans cette contrainte de « chacun son tour », le risque est élevé que plusieurs ne disent rien et participent très peu aux échanges.

Un groupe de discussion exige des échanges entre les gens. Dans la vie courante, discuter se résume souvent à essayer de convaincre les autres de son point de vue pour faire passer son idée et si l'on est écouté on ne l'est peut-être que par politesse. Dans le travail en coopération, on doit plutôt chercher à s'exprimer et à expliquer sa position, mais aussi à écouter l'autre pour essayer honnêtement de comprendre son point de vue, à poser des questions pour mieux saisir, à argumenter et à accepter de modifier son idée première si c'est pertinent. En coopération, il faut accepter dès le départ qu'on puisse être influencé pour avancer dans sa compréhension d'un phénomène, dans ses apprentissages, ce qui n'est pas toujours le cas dans la vie. Apprendre à discuter positivement en ayant un esprit ouvert aux autres est souvent un long apprentissage tant pour les adultes que pour les jeunes. Il est fréquent qu'une divergence d'idées se transforme en un conflit interpersonnel ; au lieu d'exprimer son désaccord de façon socialement acceptable au sujet des idées de l'autre, on critique et dénigre l'autre personne. Être capable de critiquer de façon positive et constructive les idées des autres, même quand les émotions s'en mêlent, n'est pas facile. Cette attitude est pourtant essentielle pour que le travail en coopération donne ses fruits. Aborder ces divergences dans un climat serein, être capable d'expliquer sa façon de penser sans vouloir gagner l'autre à sa cause, être capable d'essayer de comprendre l'autre sans devoir adhérer à son point de vue, être capable de voir les failles et les forces dans les deux positions, et être capable de modifier son opinion peuvent être enrichissants pour tous.

La résolution des conflits

Demander à des élèves de travailler en coopération avec d'autres augmente la possibilité qu'ils se retrouvent dans des situations où leurs opinions divergent. Plus le travail en coopération fait référence aux apprentissages ouverts, où il n'existe pas une seule bonne réponse, plus les élèves doivent chercher, discuter, exprimer des opinions diverses, évaluer différentes hypothèses, imaginer diverses solutions et envisager une situation selon plusieurs perspectives, plus le risque de conflits augmente. Ces divergences ou conflits cognitifs sont non seulement possibles mais souhaitables lorsqu'on vise le développement des habiletés cognitives de haut niveau, telle la pensée critique. Pour que ces expériences soient enrichissantes, les jeunes doivent apprendre à trouver des solutions positives à leurs conflits et être capables de jouer le rôle de médiateur au sein de leur équipe.

Quand il est question d'un travail qui exige un consensus autour d'une seule réponse, il faut être conscient que le risque de conflits est encore plus élevé. Si tous sont du même avis ou si les différentes positions sont complémentaires ou conciliables, les élèves peuvent généralement atteindre un consensus sans trop de problèmes. Toutefois, s'il y a des oppositions marquées entre les différents points de vue, on peut craindre un conflit. Dans la vie quotidienne, les personnes qui vivent des relations harmonieuses recherchent souvent un compromis qui soit satisfaisant pour tous ; dans d'autres situations, elles peuvent recherche à tout prix un compromis qui ne sera pas nécessairement la meilleure solution, mais qui mettra fin à la discussion et évitera un conflit. Dans d'autres situations, les gens peuvent recourir au vote pour mettre à jour une position majoritaire ; souvent, l'important n'est pas d'écouter les autres, de s'assurer qu'ils puissent expliquer leurs positions et influencer les autres, c'est de convaincre les autres du bien-fondé de son point de vue et de gagner. Dans le travail en coopération, on ne cherche pas à gagner, mais à apprendre à travailler efficacement pour maximiser les apprentissages de chacune et de chacun. En outre, couper court à la discussion et éviter les conflits cognitifs limitent les possibilités d'apprentissage chez les jeunes. Toutefois, certains consensus sont impossibles quand ils font appel à des oppositions de valeurs; dans ces cas, il serait préférable de s'entendre sur une seule réponse qui présente et explique les divergences. Il est plus important de s'ouvrir à la position de l'autre, d'essayer de comprendre plutôt que de forcer un consensus alors qu'il n'y a probablement pas une seule bonne réponse.

L'encouragement

Comme pour l'entraide, nous pensons que tout le monde sait comment encourager les autres et qu'il n'est pas nécessaire de s'y arrêter. Il est vrai que nous savons soutenir ceux qui traversent une période difficile pour qu'ils continuent et n'abandonnent pas malgré les difficultés, ou encourager ceux qui sont gênés de parler en groupe pour qu'ils deviennent à l'aise. En ce sens, il n'existe pas de différence entre ce que nous faisons spontanément dans la vie courante et dans le travail en coopération. Toutefois, lorsque nous nous limitons à encourager seulement ceux qui pensent comme nous à s'exprimer, ce n'est pas une attitude que nous prônons. En coopération, encourager les autres signifie les encourager à participer et à s'exprimer même s'ils ne sont pas du même avis que nous, les inciter à s'expliquer pour mieux comprendre leur point de vue, etc. De plus, nous devons encourager tout le monde à participer pour que tous s'enrichissent de l'apport des autres, évoluent dans leur compréhension et dans leurs apprentissages cognitifs. Nous voulons que tous soient à l'aise de s'exprimer en groupe pour que tous profitent les uns des autres et progressent.

La contribution au travail d'équipe

Dans le travail en équipe traditionnel, on observe, la plupart du temps, qu'un ou une élève ou quelques-uns, souvent les plus forts sur le plan scolaire, font le travail pour tous. Cette situation peut alors freiner l'apprentissage. En fait, on se soucie seulement que le travail de l'équipe soit terminé et réussi. Les élèves, même s'ils sont familiers avec le travail en équipe, ne sont pas nécessairement habitués à ce que tous participent et contribuent au travail du groupe, ce qui est essentiel dans le travail en coopération. Les jeunes doivent être responsables de leur part de travail; ils doivent non seulement participer, mais aussi chercher à enrichir le travail du groupe et favoriser les apprentissages de chacune et de chacun.

Les habiletés coopératives ne se limitent pas à celles que nous venons de présenter, mais celles-ci nous semblent essentielles à tout travail en coopération. Chaque enseignante doit déterminer les habiletés qui sont nécessaires pour les tâches visées, que ce soit sur le plan social ou cognitif, et celles que ses élèves ne maîtrisent pas.

5. Le développement des habiletés coopératives

Même si nous voulons que les jeunes coopèrent, nous réalisons qu'ils sont peu habitués ou préparés à coopérer, le milieu scolaire privilégiant plutôt le travail individuel ou compétitif. Quand ils s'orientent vers le travail de groupe en coopération, les enseignants doivent suppléer à ce manque et aider les jeunes à acquérir certaines habiletés coopératives.

Le climat au sein de la classe

La première étape consiste à favoriser un climat positif au sein de la classe pour permettre aux élèves et à l'enseignante de se connaître, de se faire confiance et de développer un sentiment d'appartenance au groupe-classe. Sans ce climat, il semble illusoire d'espérer que les jeunes veuillent coopérer et s'entraider.

Les habiletés coopératives

Pour un groupe qui a peu ou pas d'expérience de travail en groupe, nous suggérons à l'enseignante de s'assurer que ses élèves maîtrisent certains comportements de base nécessaires pour tout travail en équipe, tels que se placer rapidement en équipe, parler à voix basse, etc. Cette étape permet de prévenir plusieurs problèmes de fonctionnement et d'organisation. Par la suite, il s'agit d'enseigner certaines habiletés essentielles à tout travail en coopération, telles que s'entraider, exprimer son opinion devant d'autres élèves, écouter les autres, contribuer au travail d'équipe, critiquer les idées et non les personnes. Enfin, il faut déterminer les habiletés coopératives plus spécifiques à chaque groupe et au type de travail demandé. Si l'activité implique un mode d'interaction régi par des rôles, tels que facilitateur, chercheur de consensus, il faut s'assurer que les élèves maîtrisent les habiletés requises pour bien jouer chacun de ces rôles. Nous recommandons d'y aller progressivement et de commencer par une habileté, puis, lorsque les élèves l'ont bien intégrée dans leur fonctionnement, d'en ajouter d'autres. À trop vouloir développer simultanément des habiletés et à vouloir aller trop vite, les élèves courent le risque de ne pas vraiment les intégrer dans leur fonctionnement quotidien et l'enseignante aura peut-être l'impression de toujours devoir recommencer. Quand une enseignante s'adresse à une classe qui a une certaine expérience du travail en coopération, il n'est pas question de recommencer à zéro, mais de s'adapter à ce groupe d'élèves.

Les habiletés à développer varient d'un groupe à l'autre, ce qui demande à l'enseignante une grande flexibilité et un grand sens de l'observation. Nous suggérons aux enseignants de tenir compte de certains facteurs pour déterminer les habiletés coopératives à développer.

L'expérience du groupe en coopération

Plus le groupe a de l'expérience, plus les habiletés visées peuvent être complexes ; par exemple, participer et être capable d'exprimer son idée devant d'autres élèves est souvent pertinent pour des groupes sans expérience de travail en équipe ; apprendre à dire correctement son désaccord et à critiquer les idées et non les personnes correspond plus à des groupes avec un peu d'expérience ; apprendre à gérer des conflits et à jouer le rôle de médiateur est approprié pour un groupe plus avancé en coopération (*voir les activités « Des cadeaux pour chacun » et « Le pour et le contre »*).

Le mode d'interaction choisi

Selon le mode d'interaction choisi, une activité peut exiger plus ou moins d'habiletés coopératives. Ainsi, lorsque les interactions entre les élèves sont régies par une structure comme « chacun son tour », laquelle assure que tous contribuent, ce type d'activité exige moins d'habiletés coopératives qu'une discussion où les interactions sont régularisées par les rôles que les élèves jouent. Dans ce dernier cas, les élèves doivent eux-mêmes s'assurer que tous participent en encourageant les autres à s'exprimer, en suscitant leur contribution si nécessaire, etc., *(voir les activités « Attention ! Le père Noël arrive ! » et « Portrait d'une région »).*

Le type d'activité proposée

Chaque type d'activité exige des habiletés sociales et cognitives distinctes : chaque élève doit expliquer à sa voisine ou à son voisin ce qu'elle ou il a dessiné sur son portfolio, écouter à son tour sa ou son partenaire pour rapporter devant toute la classe l'explication de son dessin, les élèves doivent discuter un texte sur la chasse aux phoques en défendant alternativement des positions opposées avant de faire consensus sur une réponse qui tient compte des différents points de vue. Cette dernière activité nécessite les capacités de solutionner des conflits et de jouer le rôle de médiateur, mais aussi les capacités de faire une synthèse, de reconceptualiser, etc., *(voir les activités « Mon portfolio » et « Le pour et le contre »).*

Les problèmes observés dans les équipes

Plusieurs des problèmes observés s'expliquent par l'absence de certaines habiletés coopératives ; par exemple, une enseignante remarque que, lorsqu'il s'agit de faire consensus sur une décision, les équipes passent rapidement au vote, ce qui suscite de l'insatisfaction chez plusieurs élèves qui ne sont plus motivés à participer. Dans cette classe, il serait souhaitable de travailler spécifiquement l'habileté à prendre des décisions, à faire consensus. Même si on a déjà abordé cette habileté en classe, elle ne semble pas intégrée dans leur fonctionnement. L'enseignante pourrait aussi se demander s'il n'y a pas d'autres causes possibles.

L'enseignement des habiletés coopératives

Une fois que l'enseignante a déterminé une habileté coopérative spécifique à développer, elle doit choisir le mode d'enseignement approprié. Souvent, on enseigne des habiletés sociales dans des activités spéciales, par exemple les « programmes de développement d'habiletés sociales », donc dans un contexte qui n'est pas celui des apprentissages scolaires. Par la suite, les enseignants ne les intègrent pas toujours dans leur pratique quotidienne avec leurs élèves ; il arrive aussi fréquemment que ces activités spéciales ne soient pas animées par les enseignants. Cette situation contribue à créer un fossé entre les activités spéciales et les activités quotidiennes de l'enseignante. Par conséquent, on remarque souvent un manque de transfert et de généralisation de ces habiletés apprises dans un contexte artificiel.

Si nous voulons que les élèves utilisent des habiletés sociales dans leur quotidien, nous devons les développer dans un contexte réel d'apprentissage scolaire, ce que la pédagogie de la coopération permet. Pour que ces habiletés soient intégrées dans le quotidien des élèves, les enseignants doivent les reprendre en dehors des activités spéciales ou des activités dites de coopération. Sinon, les élèves risquent de pouvoir facilement les définir, dire comment elles se manifestent, mais sans les vivre réellement.

De plus en plus, les pédagogues utilisent simultanément plusieurs méthodes. Néanmoins, ils respectent généralement une démarche semblable pour l'acquisition des habiletés coopératives. On commence par une discussion avec toute la classe sur l'habileté concernée, suivie d'une période de pratique et d'observation, puis d'une rétroaction sur cette pratique. Souvent, on se limite à ces trois étapes ; pourtant, une autre étape est essentielle, celle de la consolidation.

La discussion avec toute la classe

Pourquoi l'habileté est-elle nécessaire ou utile ? Les élèves comprennent pourquoi ils devraient acquérir une habileté coopérative, non seulement dans le contexte scolaire, mais aussi dans d'autres situations de la vie, tant pour les jeunes que pour les adultes, ce qui suscite leur motivation à l'acquérir. Si les élèves veulent développer une habileté, les enseignants n'auront pas besoin de leur donner des points ou des récompenses matérielles quand ils la manifesteront. L'enseignante engage alors une discussion sur les conséquences de la présence ou de l'absence de cette habileté. Ainsi, dans la mesure où les élèves s'entraident, ceux qui ont des difficultés et qui ont le goût de décrocher auront peut-être le goût de venir et de rester à l'école.

Quand l'habileté est-elle appropriée ? Les élèves essaient de distinguer quand cette habileté est pertinente et quand elle ne l'est pas. S'entraider est très pertinent au cours d'un processus d'apprentissage, mais cette habileté est à déconseiller lors d'un examen individuel. Lorsque la classe doit s'entendre sur l'organisation d'une fête, encourager une ou un collègue à s'exprimer lors d'une discussion à ce sujet est opportun. Par ailleurs, il est peut-être moins approprié de l'inciter à dire devant toute la classe qu'elle ou il n'aime pas la nouvelle coupe de cheveux de l'enseignante.

Comment l'habileté se manifeste-t-elle concrètement dans différentes situations ? Pour que les élèves développent réellement cette habileté, ils doivent apprendre concrètement comment la traduire en comportements. Vouloir aider n'est pas suffisant, il faut savoir comment percevoir qu'une autre personne a besoin de notre aide et comment l'aider efficacement. Donner les réponses peut refléter une très bonne attitude et un bon esprit d'entraide, mais n'aidera probablement pas l'autre à progresser dans ses apprentissages. Les jeunes doivent aussi apprendre que la façon d'aider change selon le contexte, d'où l'importance de varier les situations pour une même habileté. Selon l'activité, aider efficacement peut signifier démontrer à l'autre comment exécuter un mouvement en danse, expliquer une notion nouvelle à acquérir, dessiner ou faire un graphique pour rendre plus explicite un phénomène, donner des indices ou poser des questions pour faire cheminer l'autre dans sa démarche, etc.

Le tableau en T est un moyen très utilisé pour déterminer les comportements liés à l'habileté choisie. Avec les élèves, il s'agit de faire la liste des comportements et de les répartir dans la catégorie de ceux qui se voient ou de ceux qui s'entendent.

Exemple

MANIFESTER LE BESOIN D'AIDE	
Visuellement	**Verbalement**
Se prendre la tête dans les mains	Peux-tu m'aider ?
Faire la moue	Je ne comprends rien !
Repousser tout le travail	C'est trop difficile !

Le tableau en T peut aussi être employé pour distinguer les comportements appropriés et inappropriés.

Exemple

ENCOURAGER LES AUTRES À PARTICIPER	
Exemples	**Contre-exemples**
Super ! Continue !	À ta place, je laisserais tomber !
Comme tu es habile !	Je connais quelqu'un qui est meilleur que toi !
Lâche pas ! Tu vas y arriver !	T'es cruche !
Je n'aurais jamais pensé à cette idée tout seul !	Laisse faire, tu prends trop de temps !

Pour déterminer les comportements pertinents, l'enseignante peut créer un scénario qui sera joué par une équipe devant toute la classe. Pendant la présentation du scénario, les autres élèves doivent observer et écrire des exemples et des contre-exemples de l'habileté discutée précédemment. Ces observations seront ensuite discutées avec toute la classe. Dans les cas des contre-exemples, l'enseignante demande aux élèves de trouver comment ils auraient pu agir de façon appropriée.

Plutôt que de préparer d'avance une équipe, l'enseignante peut aussi demander des volontaires pour improviser un scénario qui servira de point de départ à la discussion.

La pratique et l'observation

Maintenant, il s'agit de mettre en pratique les nouveaux apprentissages. En équipe, les élèves effectuent une tâche, avec la consigne de manifester l'habileté requise. Ils sont informés que l'enseignante va circuler dans la classe pour les observer et prendre des notes sur leur fonctionnement. Elle répartit son temps entre les différentes équipes afin de pouvoir les observer toutes, et si possible deux fois. Dans d'autres situations, c'est une ou un élève par équipe qui a le rôle d'observer ses coéquipiers.

Il existe différents types de grilles d'observation. Certaines mettent l'accent sur l'aspect quantitatif : noter le nombre de fois où chaque élève manifeste l'habileté pratiquée. Quand les élèves se sentent ainsi observés, la situation est un peu artificielle et il est fréquent que des élèves en fassent plus qu'au naturel ! Certains avertissent même leur collègue chargée ou chargé d'observer de ne pas oublier de noter ce qu'ils viennent de dire ou faire, voulant que plusieurs crochets apparaissent à leur nom. D'autres grilles dites qualitatives permettent de prendre en note des exemples de comportements appropriés ou non qui sont observés dans les équipes. Ce type d'observation est souvent plus révélateur et instructif que le nombre de comportements. Lors de la rétroaction, ces exemples permettront une discussion basée sur les comportements réels des élèves. Finalement, la grille mixte permet de tenir compte des dimensions tant quantitative que qualitative.

La rétroaction

La pratique de l'habileté coopérative est suivie d'une réflexion qui permet d'évaluer comment les élèves l'ont réellement manifestée et comment ils pourraient s'améliorer. Cette étape leur donne l'occasion d'apprendre à jeter un regard critique sur leur propre fonctionnement. Lors de cette rétroaction, l'enseignante donne aux jeunes un feed-back constructif à la suite de ses observations et leur fournit des renforcements positifs. Elle peut également amener les jeunes à trouver d'autres situations où cette habileté serait pertinente et souhaitable pour en faciliter le transfert.

Quand des élèves jouent le rôle d'observateur, ils doivent participer à cette rétroaction ; ils peuvent communiquer leurs observations aux membres de leur équipe ou les partager avec toute la classe pour alimenter la discussion. En outre, nous suggérons de ne pas nommer d'individus pour ne blesser personne, puisque l'important n'est pas d'identifier « qui a fait quoi », mais de discuter les comportements observés. Cette rétroaction avec toute la classe peut être précédée ou suivie d'une autoévaluation.

Exemple

GRILLE D'OBSERVATION DU TRAVAIL EN ÉQUIPE

Encourager les autres à participer

Chaque fois que vous observez un élève qui manifeste l'habileté «Encourager les autres à participer», cochez son nom; prenez en note des exemples de comportements appropriés et inappropriés.

Équipe A		
Nom des élèves	**Nombre de fois**	**Exemples et contre-exemples**
Jeanne		
Frédéric		
Émile		
Myriam		

La consolidation

Pour s'assurer que les élèves pratiquent l'habileté coopérative enseignée et l'intègrent à leur quotidien, il faut y revenir fréquemment et la faire pratiquer dans des contextes différents. Une habileté enseignée une fois n'est pas nécessairement acquise, d'autant plus qu'elle peut s'exprimer différemment selon les situations. En somme, cette habileté doit devenir un automatisme, et la réalisation de cet objectif demande du temps.

Nous suggérons ici plusieurs moyens afin d'aider les élèves à intégrer les habiletés coopératives.

- Afficher dans la classe les comportements pour chaque habileté étudiée et y recourir au besoin ;
- Rappeler avant chaque activité les habiletés à consolider et les comportements associés ;
- Observer régulièrement les habiletés déjà discutées en classe et souligner aux élèves les améliorations ou les manques qui se manifestent pour qu'ils puissent trouver des solutions et y remédier ;
- Après chaque activité, se réserver un temps pour une rétroaction individuelle, en équipe ou avec toute la classe sur leur fonctionnement en équipe, ce qui permet aux élèves de réaliser que leur fonctionnement en équipe est important et a une influence sur la qualité de leur travail et de leurs apprentissages.

Dans la réalité, les enseignants qui se sentent bousculés par le temps ont tendance à éliminer cette dernière étape de réflexion et de feed-back sur le processus coopératif, laquelle est pourtant essentielle. Pour pallier ce problème, nous proposons l'interruption de l'activité même si elle n'est pas terminée afin de réserver 5 à 10 minutes pour cette rétroaction. Lorsque les élèves travaillent en équipes de base, il est possible de prévoir une période hebdomadaire pour discuter leur fonctionnement en équipe.

6. Les types de modes d'interaction

Dans le présent ouvrage, nous présentons schématiquement chaque activité par une grille qui comporte plusieurs rubriques. Celles qui sont situées en haut de la grille caractérisent d'abord l'activité par rapport au programme scolaire, comme la matière, le degré ou les degrés scolaires visés, et la durée de l'activité. D'autres rubriques concernent l'activité du point de vue de la coopération : elles précisent le nombre d'élèves par équipe, la formule utilisée pour la formation des équipes, l'expérience en coopération requise et le mode d'interaction. Cette dernière entrée, qui fait l'objet de la présente fiche explicative, précise le type d'interaction qui doit se dérouler entre les élèves.

Le mode d'interaction se réfère à deux types d'activités fondamentalement distincts. Dans le premier type d'activité, l'interaction est régie par une structure imposée. Dans le second type, des rôles sont confiés aux élèves pour qu'ils règlent par eux-mêmes leur fonctionnement.

Dans la présente fiche explicative, nous ne parcourons pas en détail tous les modes possibles d'interaction selon l'un et l'autre type d'activité. Nous cherchons plutôt à expliciter la différence entre les deux types d'activités afin de discuter, non pas de l'avantage d'un type sur l'autre, car les deux types ont leurs avantages propres, mais des raisons qui doivent motiver notre choix dans un cas donné.

Les activités régies par une structure

Énonçons d'abord la caractéristique fondamentale des activités dans lesquelles l'interaction est régie par une structure. Quand une structure est utilisée, les élèves n'ont pas à décider leur fonctionnement durant l'activité. Par exemple, ils n'ont pas à s'entendre entre eux pour déterminer « qui parle en premier », « qui doit faire ceci et cela », etc. Les membres d'une équipe remplissent des tâches qui leur sont assignées par la structure. Tous les élèves remplissent les mêmes tâches. Personne n'a de responsabilité particulière qui lui serait assignée par la structure. Par exemple, dans la structure « Interview en trois étapes », présentée dans la fiche explicative n° 7, les élèves d'une équipe de quatre se partagent d'abord en deux dyades et les deux membres d'une dyade s'interviewent successivement l'un l'autre sur un sujet prédéterminé. Ensuite, chacune ou chacun fait part aux trois autres membres de l'équipe de ce qu'elle ou il a appris lorsqu'elle ou il a interviewé sa ou son partenaire. Chacun des quatre membres d'une équipe effectue donc exactement le même travail.

Par cette caractéristique même, les structures assurent que tous les membres d'une équipe participent à l'activité, qu'ils aient une participation égale et qu'ils soient constamment actifs. Dans l'exemple cité précédemment, tous sont actifs lorsqu'ils répondent à leur partenaire intervieweuse ou intervieweur ou quand ils sont eux-mêmes intervieweurs ; chacune ou chacun doit aussi demeurer active ou actif lorsqu'elle ou il doit écouter soigneusement les réponses de sa ou son partenaire. En fait, comme l'écrivent Kagan et Kagan, qui sont les principaux promoteurs de l'approche structurelle en coopération, les structures en elles-mêmes assurent que les bénéfices du travail en coopération soient atteints [1].

---

1. S. KAGAN et M. KAGAN, *The Structural Approach : Six Keys to Cooperative Learning*, dans S. SHARAN (dir.), *Handbook of Cooperative Learning Methods*, Westport (Connecticut), Greenwood Press, 1994.

Ainsi, lorsqu'ils travaillent en équipe selon une structure, plusieurs élèves sont actifs en même temps dans la classe, ce qui constitue un avantage évident par rapport à la situation collective où une seule personne à la fois peut être active, car une seule peut parler, répondre à une question ou en poser une, etc. Il faut toutefois préciser que cet avantage n'est pas seulement réservé aux activités de coopération régies par des structures.

En fait, les structures assurent une participation égale de chaque élève en accordant à chacune et chacun une chance égale de participer, de parler. Elles permettent aussi l'interdépendance positive à leur manière : dans l'exemple de structure donné plus haut, les élèves d'une équipe dépendent les uns des autres d'une façon très serrée qui est prévue par la structure. En effet, meilleurs sont les élèves dans l'interview, l'écoute et le partage, meilleurs sont les profits tirés par l'ensemble de l'équipe. Enfin, la structure conditionne également la responsabilité individuelle. Dans l'exemple donné, chaque élève est responsable de transmettre aux autres membres de l'équipe l'information qu'elle ou il retire de l'interview réalisée.

Il existe une grande variété de structures disponibles. On doit les choisir en fonction de l'objectif d'apprentissage. La fiche explicative n° 7 explique les structures utilisées dans nos activités et les raisons qui ont motivé ce choix.

Il se peut qu'une enseignante juge à propos de confier des rôles aux membres d'une équipe qui fonctionne selon une structure. C'est ainsi qu'une ou un élève peut être, à son tour, responsable de veiller à ce que tous aient bien compris le fonctionnement de la structure et respectent le déroulement de l'activité imposé par la structure. Il se peut aussi qu'une ou un élève doive s'occuper d'approvisionner l'équipe en allant chercher du matériel ou qu'elle ou il soit responsable de ranger le matériel quand l'activité est terminée. Lorsque le mode d'interaction est déterminé par une structure, ces rôles demeurent accessoires en ce sens qu'ils ne règlent pas l'interaction ni le déroulement de l'activité. De tels rôles ne sont pas une composante essentielle des activités qui se déroulent selon une structure.

Les activités régies par des rôles

Il y a des activités dont la régulation de l'interaction est laissée à l'initiative des élèves eux-mêmes. On confie précisément des rôles à cette fin (*voir la fiche explicative n° 8*). Dans ce type d'activité, les élèves eux-mêmes doivent veiller à ce que les principes de la coopération s'appliquent. C'est la facilitatrice ou le facilitateur, par exemple, qui s'assure que chaque membre de l'équipe participe également et contribue à la tâche à la mesure de ses capacités. La ou le secrétaire, pour sa part, prend note des consensus et fait rapport à la classe. L'harmonisatrice ou l'harmonisateur voit à ce que les manifestations d'animosité ne dégénèrent pas en conflits. En somme, chaque élève a une responsabilité particulière en ce qui a trait au fonctionnement. On comprend aussi que l'interaction n'est pas réglée à l'avance et que les élèves ont des décisions à prendre sur la façon d'interagir pendant la tâche. Il peut même arriver que chaque élève apporte une contribution particulière à la tâche si l'équipe en décide ainsi et si la tâche permet une telle division du travail.

On peut donc formuler la différence fondamentale entre les deux modes de régulation de l'interaction comme suit : l'interaction est préréglée dans le cas des activités régies par des structures et elle doit être déterminée par les équipes en partie ou en totalité dans les activités régies par des rôles. Les élèves ne font pas tous nécessairement la même tâche quand les activités sont régies par des rôles. Autrement dit, l'enseignante s'en remet beaucoup plus aux élèves pour la régulation de leur interaction. Le déroulement d'une activité dans l'une et l'autre équipe peut suivre des chemins différents. Aussi, lorsqu'on évalue la qualité de l'interaction entre les bonnes équipes et les moins bonnes, elle peut certainement paraître plus grande dans le second cas.

Or, les comportements essentiels que l'on exige des élèves dans la coopération peuvent se manifester dans les deux modes d'interaction. On peut tout aussi bien développer l'entraide chez les élèves dans les deux modes. Par exemple, si une ou un élève ne trouve pas quoi répondre lorsqu'on l'interview, l'élève qui mène l'entrevue peut la ou le mettre à l'aise, l'aider par ses questions pour qu'elle ou il intéresse les autres, etc. Dans les activités régies par des rôles, la responsabilité incombe à l'animatrice ou l'animateur qui devra mettre les autres à l'aise, mobiliser l'équipe pour aider un membre qui éprouve des difficultés. Le déroulement diffère dans les deux cas. On peut observer que les activités régies par des rôles sont davantage susceptibles de développer l'entraide à cause des responsabilités spécifiques confiées à cet égard.

Les avantages de chaque mode d'interaction

Les deux modes de régulation de l'interaction conviennent aux apprentissages exacts et aux apprentissages ouverts (*voir à ce sujet le chapitre 1, p. 6*). Cependant, il est des activités pour lesquelles on préfère les structures et d'autres, la régulation par les rôles. C'est donc dire que l'on peut choisir l'un ou l'autre dans n'importe quelle tâche d'apprentissage. Par exemple, l'interview à trois étapes peut servir à partager des connaissances exactes acquises par les élèves après l'étude d'un sujet donné ; cette structure peut aussi servir à recueillir leurs points de vue personnels sur un événement. Les critères qui motivent le choix d'un mode sont nombreux. Il est impossible de prévoir tous les cas possibles. Mentionnons quelques critères qui nous guident vers le choix de l'un ou l'autre moyen. La plupart des structures peuvent être mises en place sans grande difficulté et elles permettent de constater très vite les bienfaits du travail d'équipe. Ainsi, les activités régies par des structures constituent un excellent moyen d'initier les élèves à l'apprentissage en coopération, mais ne servent pas uniquement à cette étape. À tout moment, même pour des élèves entraînés, une activité régie par une structure peut se dérouler avec profit. Dans les cas où l'on craint des élèves qu'ils adoptent des comportements indisciplinés, occupent trop de place ou participent moins, il convient parfaitement d'utiliser les structures parce qu'elles préviennent mieux ces déviations.

Dans les activités complexes qui exigent une division des tâches, il est évident que l'on devra recourir à des rôles comme moyen de régler l'interaction. Dans ce type d'activités, les élèves doivent s'entendre sur le partage de la tâche, une ou un élève doit en coordonner l'exécution et une ou un autre doit jouer un rôle très important, celui d'approvisionneur.

7. Le choix des modes d'interaction

L'apprentissage en coopération se différencie principalement du travail en équipe habituel par l'organisation des interactions entre les individus pour réaliser une tâche. Selon l'organisation privilégiée, les élèves auront plus ou moins d'autonomie dans la planification et la réalisation de l'activité, et dans leurs échanges.

Dans cette fiche, nous présentons les modes d'interaction utilisés dans les activités pratiques. Nous expliquons d'abord certains modes qui peuvent impliquer toute la classe. Ensuite, nous définissons des modes qui laissent peu de place aux échanges entre les élèves ou qui les contrôlent beaucoup, pour progresser vers des approches qui donnent de plus en plus d'autonomie aux élèves dans leurs interactions. Dans ce texte, les expressions « mode d'interaction », « organisation des interactions » et « structure » sont synonymes.

Pour plus d'information sur les modèles d'organisation du travail en équipe, nous suggérons l'ouvrage de Spencer Kagan, *Cooperative Learning,* qui présente des structures que les enseignants peuvent appliquer à différents contenus. Pour des modes d'organisation des interactions qui laissent une large part d'autonomie aux élèves et qui visent le développement d'habiletés cognitives de haut niveau, mentionnons les ouvrages suivants : *Le travail de groupe : stratégies d'enseignement pour la classe hétérogène* d'Elizabeth G. Cohen ; *Advanced Cooperative Learning* de David W. Johnson, Roger T. Johnson et Edythe Johnson Holubec ; *Creative Controversy, Intellectual Challenge in the Classroom* de David W. Johnson et Roger T. Johnson.

Continuum (*Line-Ups*)

(Voir l'activité « Mon portfolio ».)

Toute la classe forme une ligne et se met en rang, en tenant compte d'un critère particulier. Par exemple, se ranger en ordre croissant en fonction de la distance estimée entre son lieu de naissance et l'école, se placer par ordre alphabétique en tenant compte des prénoms ou des noms. Les élèves peuvent demander de l'aide et les autres ont l'obligation d'aider.

Souvent utilisée en début d'année, la structure du « Continuum » permet de développer un sentiment d'appartenance à la classe et un esprit d'entraide, de sensibiliser les élèves au but commun, puisque la ligne n'est réussie que si tous sont bien situés dans la ligne, et de prendre conscience qu'ils sont responsables de leur propre réussite, mais aussi de celle des autres.

Le « Continuum » peut s'insérer dans des activités de discussion. Dans ce cas, les élèves doivent se regrouper en fonction de leur accord plus ou moins grand avec certaines affirmations ou valeurs. Ensuite chacune ou chacun explique son choix, la discussion s'enclenche et les élèves peuvent modifier leur position et se resituer par rapport aux autres.

Les enseignants ont aussi recours au « Continuum » pour former des équipes au hasard, les premiers de la ligne formant la première équipe, les suivants la deuxième, et ainsi de suite.

Cercles concentriques (*Inside-Outside Circles*)

(Voir l'activité «La maison incomplète».)

La classe est divisée également en deux cercles, l'un à l'intérieur de l'autre, dont les membres se font face pour former des dyades d'élèves. Chaque dyade fait le travail demandé, puis les cercles se déplacent d'une position, l'un vers la gauche et l'autre vers la droite, pour former de nouvelles dyades qui réalisent la tâche prévue. Le processus de changement recommence autant de fois que nécessaire.

C'est une organisation des interactions qui implique toute la classe et qui oblige un changement continuel de partenaires. Elle est recommandée en début d'année parce qu'elle offre aux élèves une occasion structurée d'échanger avec plusieurs, de se connaître, au lieu de se confiner à leur groupe de camarades ou de connaissances. C'est une structure qui peut être exigeante parce que dès que l'élève s'habitue à une ou un autre partenaire, elle ou il doit changer. Lorsque les dyades réalisent des productions communes, comme créer des dessins pour lesquels chaque dyade contribue, cette activité favorise le sentiment d'appartenance au groupe-classe.

Selon la nature de la tâche, les «Cercles concentriques» permettent la pratique de certaines habiletés coopératives (participer, s'exprimer, partager le matériel, décider ensemble, etc.).

Graffiti

(Voir l'activité «Mon prof et moi, on s'organise».)

Cette structure d'organisation du travail s'apparente au remue-méninges. Chaque équipe reçoit une feuille et chaque membre doit écrire le plus d'idées possible sur un sujet donné ou dessiner tout ce qui s'y rattache sans en discuter avec les autres. Par la suite, chaque équipe passe sa feuille à l'équipe suivante et en reçoit une de l'équipe précédente qui porte sur un autre sujet. Le travail se poursuit ainsi jusqu'à ce que toutes les équipes aient contribué. Cette structure conduit à des productions qui appartiennent à toutes les équipes, d'où l'interdépendance positive inter-équipe. Les équipes travaillent alors en vue d'atteindre un but commun, celui de toute la classe. Souvent, le «Graffiti» n'est qu'une phase dans une activité; il est suivi d'une séance plénière où l'on présente et discute du travail de toutes les équipes.

Le «Graffiti» favorise la créativité, la flexibilité intellectuelle et la prise de conscience. N'est-il pas vrai que, souvent, plusieurs têtes valent mieux qu'une, puisque l'ensemble des élèves de la classe trouve des idées auxquelles chacune ou chacun n'aurait pu penser seule ou seul!

Chacun son tour / Tour de rôle / Tour de table
(Roundrobin / Roundtable)

(Voir les activités «Mieux se connaître», «Les métiers et les professions», «Attention! Le père Noël arrive!», «Des cadeaux pour chacun», «Les oiseaux», «Trouvons ensemble les pièges», «L'observation du sol».)

La structure «Chacun son tour» implique que chaque membre de l'équipe contribue, l'un après l'autre, au travail de l'équipe, soit à l'oral, soit à l'écrit. Un membre commence, puis c'est au tour de l'élève de gauche ou de droite d'apporter sa contribution et tous interviennent dans cet ordre. Il peut s'agir simplement pour chacune et chacun d'exprimer son idée sur un sujet ou de compléter sa partie de la tâche commune. Spencer Kagan apporte une distinction au moment de choisir entre le travail oral et le travail écrit[1]. Quand il est question de «Tour de rôle», la contribution des élèves se fait oralement. Quand il s'agit de «Tour de table», elle se fait par écrit. Souvent, il n'y a qu'une feuille et un crayon par équipe; ces outils circulent alors d'une personne à l'autre pour permettre à chacune et à chacun d'écrire à son tour.

Nous suggérons fortement «Chacun son tour» en début d'année. En contrôlant strictement le moment de l'intervention de chaque membre de l'équipe, cette structure limite la spontanéité de chacune et de chacun, mais elle peut aussi rassurer certains élèves qui sont timides en groupe. Ceux-ci peuvent donc participer, ce qu'ils ne feraient peut-être pas de leur propre initiative. «Chacun son tour» permet aussi aux élèves de se sensibiliser à l'importance de donner à tout le monde la chance de contribuer au lieu de laisser certains tout faire tandis que d'autres ne participent pas. Grâce à cette structure, les élèves peuvent aussi réviser en équipe des connaissances exactes à mémoriser, chaque élève répondant à une question ou appliquant une technique à tour de rôle.

Au fur et à mesure que les élèves acquièrent de l'expérience en coopération et, par ricochet, les habiletés nécessaires, on peut utiliser «Chacun son tour» avec d'autres modes d'interaction pour une partie de la tâche seulement. Ainsi, lors d'un groupe de discussion, la première étape peut consister à donner «chacun son tour» son opinion; par la suite peut s'engager une discussion où les élèves ont plus d'autonomie pour organiser leurs échanges grâce à certains rôles complémentaires tels le facilitateur, le chercheur de consensus, le chronométreur, etc. Lors d'une rétroaction sur le travail en équipe, les porte-parole présentent «chacun leur tour» le travail de leur groupe, avant que la discussion ne s'amorce entre les élèves et l'enseignante.

Lors de la formation de nouvelles équipes, certains enseignants recourent à cette structure pour favoriser un climat positif au sein du groupe. Par exemple, les élèves présentent «chacun leur tour» leur passe-temps préféré ou résument un film qu'ils ont aimé, ce qui leur permet de mieux se connaître et de favoriser un climat de confiance avant de commencer la tâche.

---

1. Spencer KAGAN, *Cooperative Learning*, San Juan Capistrano (Californie), Kagan Cooperative Learning, 1992.

La roulette

(Voir l'activité « Quel défi ! ».)

« La roulette » peut être vue comme un prolongement de « Chacun son tour », mais dans un contexte où le travail est divisé en étapes qui se répètent d'un problème à l'autre. Cette structure est très appropriée pour la pratique de certaines techniques ou démarches que les élèves doivent maîtriser. Par exemple, « La roulette » est très pertinente pour amener des élèves à acquérir une démarche de résolution de problèmes en mathématiques.

Chaque équipe n'a qu'une feuille représentant une roulette, laquelle est divisée selon le même nombre d'étapes de la démarche ou de la technique à maîtriser. Chaque étape est numérotée selon son ordre d'exécution. Chaque membre de l'équipe est placé devant une des étapes et celui qui est placé devant l'étape 1 commence la tâche, puis c'est au tour de l'élève qui a l'étape 2 de poursuivre, et ainsi de suite. Quand un premier problème ou exercice est terminé, la roulette est tournée vers la gauche et le processus recommence. On continue ainsi tant que tous les exercices ne sont pas terminés.

Penser / Se regrouper en dyade / Partager
(Think / Pair / Share)

(Voir l'activité « Mon portfolio ».)

Comme son appellation le précise, « Penser / Se regrouper en dyade / Partager », de Spencer Kagan, est une structure en trois étapes.

1. Chaque élève réalise individuellement une tâche.
2. Les élèves se regroupent en dyades ; ensemble, ils s'informent de ce qu'ils ont fait, en discutent et se donnent des explications s'il y a lieu.
3. En séance plénière, les élèves partagent le tout avec l'ensemble de la classe.

Cette structure assure la responsabilité individuelle en obligeant chacune et chacun à faire seule ou seul un travail avant de se joindre à une ou un partenaire. De plus, pour la séance plénière, les porte-parole sont choisis au hasard et doivent présenter la position de leurs partenaires. On utilise fréquemment « Penser / Se regrouper en dyade / Partager » pour amener les élèves à pratiquer certaines habiletés nécessaires au travail en coopération (écouter, résumer l'idée de l'autre, s'exprimer devant un pair et en groupe). Pour des groupes surtout familiers avec le travail individuel ou compétitif, cette structure donne aux élèves l'occasion de s'initier au travail à deux, mais pour de courtes périodes de temps seulement.

« Penser / Se regrouper en dyade / Partager » est une structure pertinente tant pour des apprentissages exacts que des apprentissages ouverts, mais elle est particulièrement appropriée pour des activités qui demandent peu de temps. Comme plusieurs autres structures de base, elle est souvent insérée dans des activités plus complexes, pour une partie du travail seulement.

En outre, elle n'exige pas nécessairement de temps de préparation pour l'enseignante, qui peut y recourir spontanément. Avant d'aborder une nouvelle notion, l'enseignante peut l'employer pour demander aux élèves leurs connaissances antérieures sur ce sujet. Elle pourra alors mieux s'adapter à son groupe. Au cours d'une activité, l'enseignante peut s'arrêter et demander aux élèves de répondre individuellement à une question avant de se regrouper en dyades et de partager leurs réponses avec l'ensemble de la classe. À la fin d'un enseignement magistral, l'enseignante peut encore utiliser cette structure pour demander aux élèves de résumer la matière, de repérer une notion non comprise, d'en trouver une application ou de pratiquer une nouvelle technique dans quelques problèmes.

Quand le travail à deux n'est pas présenté sous forme d'exposé oral à l'ensemble de la classe, mais sous forme d'exposé écrit, cette structure devient «Penser/Se regrouper en dyade/Écrire».

Individuellement/À deux/À quatre (*Think/Pair/Square*)

(*Voir l'activité «Corrigeons ensemble» et «Elle s'appelle CRAC».*)

«Individuellement/À deux/À quatre» s'inspire de la structure de base «Penser/Se regrouper en dyade/Partager». Les deux premières étapes sont les mêmes, mais à la troisième étape, chaque dyade se jumelle à une autre pour former un nouveau groupe de quatre élèves. La discussion s'anime au sein de cette équipe et non plus lors de la séance plénière, ce qui permet à plus d'élèves de s'exprimer. L'enseignante peut décider d'ajouter une séance plénière à la fin, mais celle-ci ne fait pas partie intégrante de la structure «Individuellement/À deux/À quatre».

On utilise également cette structure pour former des équipes de quatre élèves et pour favoriser un climat positif entre eux avant d'amorcer le travail. Par exemple, l'enseignante leur demande de penser individuellement à un cadeau qu'ils aimeraient donner et à qui, de partager leur réflexion avec une ou un autre élève, puis avec une autre dyade.

Formuler/Partager/Écouter/Créer
(*Formulate/Share/Listen/Create*)

(*Voir l'activité «Drôle de problème».*)

La structure «Formuler/Partager/Écouter/Créer» a été créée par Johnson, Johnson et Johnson-Holubec[2]. Elle comprend quatre étapes.

1. Chaque élève élabore individuellement sa réponse à la question ou au problème posé.
2. En équipe de deux, chaque élève partage sa réponse avec sa ou son partenaire.
3. Chaque élève écoute attentivement la réponse de sa ou son partenaire.
4. Chaque dyade crée une nouvelle réponse qui doit être supérieure qualitativement à celles qui ont été trouvées initialement par chacune ou chacun des deux partenaires.

---

2. David JOHNSON, Roger JOHNSON et Edythe HOLUBEC, *Advanced Cooperative Learning*, Edina (Minnesota), Interaction Book Company, 1992.

À première vue, cette structure ressemble à « Penser / Se regrouper en dyade / Partager » de Kagan, mais elle va plus loin sur le plan cognitif. Elle oblige les élèves à dépasser le simple échange d'information, les explications pour aider l'autre à mieux comprendre ou la reformulation de la réponse de la ou du partenaire, ce qui est souvent le cas avec la structure de Kagan. En fait, elle les oblige à cocréer quelque chose de nouveau, de supérieur cognitivement à ce qu'ils ont réalisé sur une base individuelle. Elle se prête beaucoup plus à des activités qui visent les habiletés intellectuelles de haut niveau qu'à celles qui concernent les apprentissages exacts. Elle est idéale pour des activités qui font appel à l'analyse, à la synthèse et à l'intégration de connaissances diverses.

Groupes hétérogènes régis par des rôles

(Voir les activités « Pedro cherche une école », « Portrait d'une région », « Les oiseaux », « Une murale sur l'environnement », « L'observation du sol », « Complète ce poème dédié à ma sœur », « J'apprends à faire de la pâte à sel » et « Apprends à mieux lire entre les lignes ».)

Le travail de coopération sous forme de « Groupes hétérogènes régis par des rôles » est un mode d'interaction qui laisse assez d'autonomie aux élèves. Par les rôles, l'enseignante délègue à ses élèves une partie de son autorité ou de ses responsabilités habituelles ; cette délégation est plus ou moins grande selon l'expérience des élèves en coopération, ceux-ci assumant de plus en plus d'autonomie dans l'organisation de leur travail.

Selon la tâche à accomplir, les élèves décident eux-mêmes comment faire le travail, comment le répartir entre eux, comment s'entendre pour des décisions, etc. Pour s'assurer que tout se déroule dans un véritable climat de coopération, que tous reçoivent l'aide dont ils ont besoin pour maîtriser les apprentissages visés et que le travail se fasse efficacement, l'enseignante leur attribue des rôles complémentaires et nécessaires à la tâche.

Ce mode d'interaction suppose que les élèves acquièrent les habiletés propres à chacun des rôles afin d'être capables de les jouer et de savoir ce que les autres élèves sont en droit de faire à cet égard. Certains rôles concernent la tâche elle-même, mais d'autres visent à maintenir un bon climat dans l'équipe et à permettre des échanges positifs. Dans son livre *Le travail de groupe : stratégies d'enseignement pour la classe hétérogène*, Elizabeth G. Cohen présente de façon très détaillée le travail en « équipes hétérogènes régies par des rôles »[3]. Approche surtout recommandée pour des activités ouvertes qui visent le développement des habiletés cognitives de haut niveau plutôt que l'apprentissage de connaissances exactes, elle peut néanmoins s'inscrire dans une démarche qui amène les élèves à devenir progressivement plus autonomes dans leur fonctionnement en équipe. Ainsi on peut initier des élèves peu expérimentés dans le travail de groupe en coopération à jouer des rôles tout en assumant leur part du travail. Certains enseignants forment des

---

3. Elizabeth COHEN. *Le travail de groupe : stratégies d'enseignement pour la classe hétérogène*, Montréal, Les Éditions de la Chenelière, 1994.

groupes hétérogènes, utilisent des structures comme «Chacun son tour» et permettent aux élèves de jouer des rôles techniques liés à la tâche: scripteur, lecteur, porte-parole, responsable du matériel, etc.

Controverse créative (*Creative Controversy*)

(*Voir l'activité « Le pour et le contre ».*)

Lorsqu'on demande à des élèves de travailler en coopération avec d'autres, on augmente la possibilité qu'ils se retrouvent dans des situations où ils divergent d'opinion. Plus le travail en coopération fait référence aux apprentissages ouverts où il n'existe pas une seule bonne réponse, plus les élèves doivent chercher, discuter, exprimer des opinions diverses, évaluer diverses hypothèses, imaginer différentes solutions, envisager une situation sous plusieurs perspectives, et ainsi plus le risque de conflits augmente. Vivre de telles expériences peut être enrichissant, mais il y a des risques. Souvent, le conflit cognitif se transforme en conflit interpersonnel; la discussion ne porte plus sur les idées, mais sur les personnes, d'où le besoin d'apprendre à «discuter intelligemment».

Johnson et Johnson font appel à une structure particulière, la «Controverse créative», qui propose une démarche spécifique pour que les élèves puissent aborder sans crainte ces divergences ou conflits cognitifs, lesquels sont non seulement possibles mais même souhaitables lorsqu'on vise le développement des habiletés cognitives de haut niveau, telles que la pensée critique ou la souplesse du raisonnement[4]. Toutefois, il est préférable d'établir certaines bases: un climat de classe qui respire la coopération et le respect des autres, la capacité chez les élèves de négocier des solutions positives à leurs conflits et de jouer le rôle de médiateur; la maîtrise de certaines habiletés cognitives, telles que pouvoir recueillir, analyser et présenter des données pour soutenir une position, être capable d'évaluer et de critiquer les différentes positions, de faire des synthèses, de reconceptualiser, etc. Tout en nécessitant ces habiletés, la «Controverse créative» contribue à les développer.

Dans cette structure, les équipes de quatre sont divisées en deux dyades. L'enseignante assigne la position en faveur d'un énoncé à une dyade et la position inverse à l'autre dyade. La démarche se fait en cinq étapes.

1. Préparation de sa position

Chaque dyade recherche toute l'information pertinente pour préparer son argumentation et la présentation de sa position. Elle doit également fournir à l'autre dyade toute information qu'elle trouve et qui permet de soutenir la position opposée.

2. Présentation de sa position

Chaque dyade présente sa position et écoute celle de l'autre, en prenant des notes et en posant des questions d'éclaircissement.

---

4. David JONHSON et Roger JOHNSON, *Creative Controversy, Intellectual Challenge in the Classroom*, Edina (Minnesota), Interaction Book Company, 1992.

3. Discussion

Les deux dyades s'engagent dans une discussion ouverte sur l'énoncé de départ, apportant des arguments pour défendre leur position et des contre-arguments pour réfuter la position opposée, mais en essayant toujours de bien saisir cette dernière.

4. Changement de perspectives

Les deux dyades changent de perspectives et chacune présente et défend la position initialement attribuée à l'autre dyade, à l'aide de ses notes, mais aussi des informations recueillies précédemment.

5. Recherche d'un consensus sur une nouvelle synthèse

Les quatre membres délaissent leur rôle en faveur d'une position ou l'autre. Ils trouvent, résument et synthétisent les meilleurs arguments pour et contre l'énoncé initial. Ils font consensus sur une nouvelle position ou une synthèse qui est plus rationnelle que les positions précédentes et qui est appuyée par des faits.

Dans la «Controverse créative», les étapes sont exactement prescrites, mais cette structure laisse beaucoup d'autonomie aux élèves dans leur démarche et dans leurs interactions. Il revient aux élèves de décider s'ils veulent jouer des rôles dans leurs échanges à deux et à quatre, de déterminer comment ils vont cueillir l'information nécessaire, l'analyser, s'entendre sur l'argumentation et la présentation, comment ils vont faire consensus pour la synthèse finale, etc. On doit donc utiliser cette structure seulement quand les élèves ont une bonne expérience en coopération et qu'ils ont les habiletés sociales et cognitives requises.

8. Les rôles confiés aux élèves

Pour que s'établisse entre les élèves un climat de coopération, on doit poser deux conditions essentielles. Premièrement, l'enseignante délègue une marge d'autonomie aux élèves dans l'exécution d'une tâche. Deuxièmement, les élèves doivent être capables d'exercer l'autonomie qui leur est dévolue.

En ce qui concerne la première condition, l'ampleur de cette autonomie varie selon plusieurs facteurs tels que l'âge des élèves, leur expérience du travail en coopération et les objectifs à atteindre dans l'étude de la matière scolaire. Il est une caractéristique générale du fonctionnement du travail en coopération selon laquelle les activités d'apprentissage ne sont pas directement et à tout moment contrôlées par l'enseignante ou par un manuel. Habituellement, l'enseignante fixe les objectifs d'apprentissage conformément au programme d'études, fournit le matériel approprié et prévoit les étapes de la démarche à suivre. Les élèves, pour leur part, gèrent une part plus ou moins grande du déroulement de l'activité d'apprentissage. Dans ce *Guide*, nous distinguons deux groupes d'activités selon le degré d'autonomie laissé aux élèves.

Certaines activités placent les élèves dans une situation qui se déroule selon un mode d'interaction entièrement planifié. Par exemple, dans la structure « À tour de rôle », les élèves parlent ou agissent à leur tour dans un ordre préétabli, contribuant ainsi à une production commune selon un déroulement entièrement planifié. Dans ce cas, on confie peu d'autonomie aux élèves. Les consignes données sont claires et lorsqu'elles sont comprises par tous, l'activité se déroule bien d'après un plan préétabli. Dans de telles activités, les élèves n'ont pas de rôles particuliers à jouer pour régler le fonctionnement de l'interaction et coordonner leur activité dans l'exécution de la tâche. En fait, ils doivent jouer des rôles qui sont reliés à la tâche, qui se définissent par les actions à poser pour y contribuer.

Par ailleurs, d'autres activités exigent des élèves une plus grande autonomie de fonctionnement : les petits groupes d'élèves doivent décider comment ils vont atteindre l'objectif qui leur est imposé, choisir la part de la tâche accomplie par chacun des membres de l'équipe, s'entendre sur la marche à suivre, discuter leurs divergences et parvenir à choisir une voie commune, régler leurs conflits d'intérêts ou les conflits de personnalité.

Dans les conditions où la marge d'autonomie est plus grande, les élèves sont obligés de « se prendre en main », de s'organiser pour être capables de réaliser la tâche dans la meilleure complémentarité possible. L'enseignante n'exerce qu'une supervision distante afin de vérifier que les équipes travaillent bien, mais il revient aux élèves de régler le déroulement des échanges qui leur permettent de réaliser l'objectif. Quelle que soit la marge d'autonomie, la délégation de responsabilités aux élèves demeure la caractéristique la plus générale et la plus importante d'une situation d'apprentissage en coopération.

Pour ce qui est de la deuxième condition, les élèves doivent être capables de régler leur fonctionnement pour accomplir la tâche selon les consignes données et le plan élaboré par l'enseignante dans le temps accordé. Ils doivent également être en mesure de régler des problèmes qui peuvent survenir dans leur interaction : des conflits interpersonnels ou la non-participation de certains. Enfin, ils doivent maintenir l'ordre dans la classe, ce qui nécessite au minimum que les élèves ne s'y déplacent pas à tout moment, qu'ils n'aient pas tous en même temps le besoin de parler à l'enseignante, qu'ils rangent le matériel qu'ils ont utilisé, etc. En fait, ils doivent savoir coordonner leur agir. C'est en confiant aux élèves des rôles reliés au fonctionnement de l'équipe que l'on s'assure de leur disposition à agir afin qu'ils règlent par eux-mêmes le bon déroulement de l'activité. Ces rôles sont clairement nommés et définis ; c'est l'enseignante qui les attribue aux élèves et elle doit évidemment s'assurer, par un entraînement ou des consignes appropriées, qu'ils jouent bien leurs rôles.

Quand on délègue une part d'autonomie aux élèves, on doit d'abord s'assurer que dans chacune des équipes un leadership adéquat soit exercé. Il ne s'agit pas de désigner un leader d'équipe qui exercerait à la place de l'enseignante une supervision directe et agirait comme une ou un contremaître qui dirige les autres au doigt et à l'œil ! En fait, la meilleure stratégie pour prévenir qu'une ou un élève s'arroge le pouvoir excessif de diriger les autres ou, au contraire, que le laxisme d'une ou d'un élève de confiance vienne tout compromettre consiste à ne pas concentrer tous les rôles reliés au fonctionnement de l'équipe dans les mains d'une seule personne. Il est préférable de distribuer les rôles à plusieurs élèves de façon à ce que le leadership soit partagé. Ainsi, chacune ou chacun des élèves d'une équipe peut contribuer à régler le fonctionnement de son équipe et contribuer positivement au travail. C'est pourquoi nous avons précisé les rôles confiés aux élèves dans chaque activité. Ainsi, nous marquons clairement que le fonctionnement de l'équipe est sous la responsabilité de ses membres.

Description des rôles

Le rôle de *facilitateur* consiste à orchestrer la participation des membres de l'équipe dans l'exécution de la tâche. À cette fin, l'élève qui remplit ce rôle lit les consignes au groupe, voit si chaque élève a bien compris sa tâche, donne la parole ou distribue les tâches en s'assurant que tous participent et dégage le consensus lorsque l'équipe doit prendre une décision sur un point. La facilitatrice ou le facilitateur n'est donc pas une ou un contremaître qui prend les décisions et donne les ordres. Cette personne ne contrôle pas le contenu des échanges. Au contraire, elle règle le fonctionnement du groupe de façon à ce que chaque membre participe aux échanges et contribue à la tâche.

Le travail en équipe en classe exige également la lecture de textes plus ou moins longs qui contiennent des connaissances à apprendre, des informations utiles à l'exécution d'une tâche, des questions, etc. En outre, les élèves ne disposent souvent que d'un exemplaire de ces textes. Autrement, chaque élève lit pour soi et cette situation induit le travail individuel plutôt que le travail d'équipe. Donc, lorsqu'un seul exemplaire des textes à lire est disponible, on a besoin d'une lectrice ou d'un lecteur pour donner aux autres accès à l'information. Lorsque plusieurs textes doivent être lus, on suggère que les membres de l'équipe aient l'occasion, chacun leur tour, de jouer le rôle de *lecteur*.

Il en est de même pour le rôle de *scripteur*. Lorsque, par exemple, une tâche consiste à trouver en équipe la réponse à une série de questions, ces réponses doivent être consignées par écrit. C'est la scripteuse ou le scripteur qui accomplit cette tâche et, encore ici, on suggère de confier ce rôle aux différents membres de l'équipe à tour de rôle.

Le rôle de *chronométreur* consiste à bien s'assurer que les membres de l'équipe connaissent la durée prévue d'une tâche. C'est cette personne qui avertit ses partenaires de l'écoulement du temps. Elle contribue ainsi à ce que l'activité se termine dans le temps alloué.

Pour ce qui est du rôle de l'*harmonisateur*, cette personne intervient pour faciliter la recherche de solutions aux conflits qui peuvent survenir dans le déroulement du travail. Certains réagissent avec agressivité lorsque leur patience est mise à l'épreuve par une certaine lenteur du travail ou par les difficultés d'un membre à comprendre. Les chocs d'idées sont inévitables et même souhaitables, car c'est ainsi que les idées toutes faites sont remises en question, que s'enclenchent les approfondissements qui mèneront à une plus grande richesse du résultat. Or, un tel « brassage » ne va pas sans susciter des réactions émotives qui, si elles ne sont pas traitées par le petit groupe, peuvent détériorer sérieusement le climat de travail. C'est le rôle de l'harmonisatrice ou de l'harmonisateur d'aider le groupe à surmonter de tels incidents de parcours. Si l'élève ne joue pas son rôle comme il faut, c'est l'harmonisatrice ou l'harmonisateur qui signale au groupe son dysfonctionnement et veille à ce que le groupe corrige le tir. L'harmonisatrice ou l'harmonisateur aide également l'équipe à se mettre d'accord lorsque la tâche l'exige.

Le travail d'équipe en coopération s'achève souvent par une production d'équipe qui doit être présentée à l'enseignante ou à l'ensemble de la classe. Il faut donc que l'équipe soit assurée que son travail puisse être présenté adéquatement. C'est la ou le *secrétaire/porte-parole* qui cumule cette fonction. Elle ou il coordonne la présentation finale du travail effectué par l'équipe lorsque la tâche l'exige. Elle ou il vérifie si les scripteurs ont correctement accompli leur tâche lorsque ce rôle a été confié aux différents membres de l'équipe, et qu'ils ont bien noté les éléments qui feront partie de la réponse commune élaborée pendant une discussion. La ou le porte-parole met au point la réponse commune qu'elle ou il soumet au groupe pour approbation.

Ensuite, elle ou il fait rapport des réponses consignées dans les fiches de travail lors de la rencontre qui réunit tous les petits groupes. Dans une tâche qui consiste à réaliser ensemble une maquette, par exemple, le rapport est cette maquette elle-même, à laquelle chacune ou chacun contribue. Un membre du groupe doit être préoccupé de la mise en forme finale afin qu'elle rende bien compte du travail réalisé. Elle ou il voit à ce que chaque élève apporte sa contribution. Encore ici, l'élève qui remplit ce rôle ne s'arroge pas tout le pouvoir de décision. Elle ou il doit s'entendre avec l'équipe sur la façon de présenter la production du groupe.

La messagère ou le messager contribue à ce que plusieurs équipes travaillent dans l'ordre dans un même local. Si n'importe qui, à n'importe quel moment, peut quitter l'équipe pour aller demander une information à l'enseignante ou pour aller chercher du matériel, on risque le désordre aussi bien dans les équipes que dans l'ensemble de la classe. Voilà pourquoi on recommande de désigner, dans chaque équipe, une personne qui joue le rôle de *messager*. Enfin, l'*intermédiaire* établit au besoin la communication de l'équipe avec l'enseignante et va quérir l'information dont l'équipe peut avoir besoin pour effectuer la tâche, comme des explications sur des points plus difficiles à comprendre. On peut également demander à l'intermédiaire de ramasser le matériel et de le ranger à la fin de l'activité. Sinon, on doit désigner quelqu'un pour accomplir cette tâche.

Ces descriptions des rôles demeurent générales ; il faut surtout y chercher le sens que les rôles impriment à l'action des différents membres de l'équipe en vue de soutenir et de régler leur fonctionnement. Des définitions générales ne peuvent pas tenir compte de la diversité de tous les cas. Pour chaque activité, ces rôles s'incarnent dans des actions spécifiques qu'il faut prévoir afin d'évaluer si les élèves accomplissent bien leurs rôles et d'intervenir en cas de besoin. En somme, on précise les rôles en tenant compte du système de division du travail adopté pour une activité donnée (ce que nous avons précisé dans chaque activité). Par exemple, si la division du travail se fait selon la structure « Tour de rôle » (chaque membre donne son idée sur un point donné), la facilitatrice ou le facilitateur et l'harmonisatrice ou l'harmonisateur doivent poser des actions spécifiques pour que l'équipe fonctionne adéquatement. Si la structure consiste à confier à chacune ou chacun, pendant un laps de temps, la réalisation d'une partie d'une maquette, par exemple, les actions spécifiques de la facilitatrice ou du facilitateur visent à ce que chaque élève exécute sa partie en tenant compte de ce qu'il a été entendu en équipe. Il importe de confier aux élèves seulement les rôles qui sont requis dans une tâche donnée et de voir à ce qu'ils comprennent bien ce qu'ils ont à faire et qu'ils le fassent le mieux possible. L'enseignante saura bien suppléer aux petites défaillances que manifestent les élèves dans leur capacité de régler par eux-mêmes leur fonctionnement en équipe.

9. L'interdépendance positive : le but commun

Parmi les conditions qui assurent l'interdépendance positive, on trouve en priorité la structuration d'une tâche qui comporte un *but commun*. En pédagogie de la coopération, les buts des participants sont étroitement liés à ceux du groupe. En fait, le travail accompli par chacun des membres contribue à la réalisation d'une tâche qui exige la participation de tous. Différentes situations permettent aux individus de prendre conscience que le fait d'atteindre un but commun peut satisfaire en même temps leurs intérêts et ceux des autres. Dans la présente fiche, nous présentons trois situations types.

Première situation type Lorsque la tâche exige à peu près les mêmes habiletés, mais demande tellement de travail qu'une personne ne peut l'accomplir seule, un but commun peut satisfaire en même temps les intérêts des individus et ceux du groupe (exemple : fabrication d'un herbier des plantes d'une région ou d'un très grand ensemble).

Deuxième situation type Le fait de fixer un but commun peut également servir les intérêts de tous si le projet contient des tâches diverses qui font appel à des habiletés multiples (exemple : planification d'une classe verte). Dans cette situation, les élèves ont un objectif clair. Ils n'ont pas besoin d'explications supplémentaires pour comprendre que chaque équipe est « intrinsèquement » responsable de la réalisation et de la réussite de l'entreprise : autorisations diverses, financement, horaires, activités, partage des responsabilités quotidiennes, moyens de transport, référentiel disciplinaire, imprimerie et publication d'un livret qui contiendra toutes les informations nécessaires. Le but commun est concret et les tâches sont essentiellement complémentaires. La réalisation de la classe verte est dépendante du travail de chaque sous-groupe et à la fin, il ne sera pas difficile d'évaluer sa réussite ou son échec.

En effet, à chaque étape, les participants peuvent réaliser concrètement que le but particulier qu'ils poursuivent est nécessaire à la réalisation du but commun (exemple : Le groupe responsable du financement qui n'arrive pas à respecter l'échéancier pour trouver l'argent nécessaire devra chercher une autre solution, sinon le projet sera remis en cause). De même, l'équipe responsable du transport a un rôle essentiel à jouer non seulement pour que les adultes et les élèves accèdent au lieu prévu, mais pour que le voyage se fasse en toute sécurité.

À mesure que le projet se déroulera, chaque sous-groupe prendra conscience du lien fonctionnel qui existe entre les différents buts particuliers et le but commun de toute l'opération. En termes concrets, si chaque membre engagé dans le projet ne remplit pas sa tâche jusqu'au bout et selon l'échéancier prévu, le but commun ne sera pas atteint et l'activité ne pourra pas avoir lieu.

Troisième situation type Enfin, le but commun peut être ajouté à l'activité comme un moyen stimulant, une manière d'enrichir la tâche ou une façon de développer des habiletés coopératives (exemples : les fiches d'activités « Attention ! Le père

Noël arrive ! », page 47 ; « Corrigeons ensemble » page 88 ; « Les oiseaux », page 152.)
On peut très bien imaginer que ces activités peuvent être réalisées par une personne
seule ou par une équipe de coopération.

L'élève qui travaille individuellement ne développe aucune habileté sociale, ne
connaît pas la complexité et la richesse de partager ses idées et de profiter de
celles des autres, et n'expérimente aucun modèle différent dans les stratégies d'apprentissage. Par contre, la réalisation de ces tâches n'est pas « inhérente » au travail d'équipe et peut être accomplie individuellement.

Même si la tâche est structurée pour se dérouler en équipe, avec des rôles et des
responsabilités précises, le but commun n'est pas inhérent à son accomplissement.
La structure de l'activité, les modes d'interaction et le développement des
habiletés coopératives apportent une qualité et une ouverture dans l'éducation
globale de l'élève, et produisent un résultat plus riche dont chaque membre de
l'équipe profite dans ses apprentissages et son développement intellectuel.

De fait, un travail d'équipe est souvent plus riche et plus complet, même si le but
commun n'est pas inhérent à la tâche et qu'il est ajouté par la forme d'organisation du travail. Par contre, il est beaucoup plus stimulant ou motivant de travailler
en équipe de coopération quand le but commun est évident, inhérent à la tâche et
essentiel à la réussite.

10. L'interdépendance positive : la recherche d'autres moyens

Cette fiche explicative présente cinq moyens qui sont utilisés dans les activités d'apprentissage en coopération pour susciter l'interdépendance positive : le partage des ressources, la disposition physique de la classe, le mode d'interaction, la division du travail et les rôles confiés aux élèves (*voir également la fiche n° 9 « Le but commun », considéré comme un moyen essentiel de susciter l'interdépendance positive*).

Que vise-t-on à obtenir par l'effet conjugué de l'un et l'autre de ces moyens ? On doit prévenir que les élèves d'une même équipe ne se contentent pas de faire leur petite affaire le mieux qu'ils peuvent en s'aidant l'un l'autre de temps en temps. On doit aussi s'assurer qu'ils ne se contentent pas seulement d'agir chacune ou chacun leur tour sans tenir trop compte de ce que font les autres. On vise à obtenir qu'ils soient bien conscients de tous travailler ensemble à un produit, qu'ils tiennent compte chacune ou chacun de la contribution des autres, que chaque élève donne son plein rendement, non seulement pour se montrer compétente et compétent, ce qui n'est pas défendu, mais également pour contribuer à la réalisation collective en cours. Par conséquent, ils doivent s'intéresser l'un à l'autre, s'aider lorsque c'est nécessaire, s'encourager mutuellement et se réjouir du résultat atteint ensemble.

Ces moyens ne sont efficaces que si les élèves partagent un esprit d'équipe, c'est-à-dire une identité commune dans laquelle ils sont à l'aise et enthousiastes. Ainsi, les moyens énumérés ne doivent pas être perçus comme une contrainte, mais plutôt comme une occasion d'être plus proches les uns des autres. La fiche explicative n° 3 donne davantage d'informations sur ce point.

Le partage des ressources

On utilise toujours le partage des ressources pour susciter l'interdépendance positive. Deux situations impliquent ce partage. Dans la première situation, les élèves qui travaillent à une tâche sont obligés de se prêter à tour de rôle une pièce de matériel, un outil par exemple, ou alors doivent inscrire leur contribution à la tâche dans un même cahier plutôt que d'avoir chacune ou chacun son cahier. Dans la deuxième situation, chaque élève d'une équipe possède une partie du matériel nécessaire pour accomplir la tâche. Par exemple, chaque élève apporte à l'équipe une partie de l'information nécessaire pour rédiger un travail d'histoire. Il faut donc noter que les ressources partagées ne sont pas seulement matérielles. Il peut s'agir de compétences spécifiques à mettre en commun pour l'exécution d'une tâche.

En obligeant les élèves à partager les ressources, on veut éviter qu'ils ne travaillent chacune ou chacun pour soi, ce qui risque de se produire si chaque élève dispose de son propre matériel. Il est pratiquement impossible que les élèves travaillent individuellement s'ils n'ont pas toutes les ressources nécessaires pour l'exécution d'une tâche. Ils réalisent alors qu'ils ont besoin des autres. En restreignant les ressources disponibles, on risque peu qu'une ou un élève accapare tout le matériel, car les autres protesteraient certainement de se trouver privés des moyens d'exécuter leurs tâches.

Il y a de nombreux avantages à limiter les ressources. Lorsque les élèves qui forment une équipe sont obligés de partager le matériel disponible, ils doivent prêter attention à ce que chacune ou chacun fait et ils peuvent ainsi apprendre en regardant les autres ; les élèves qui s'observent travailler les uns les autres peuvent se donner des conseils, etc. Le simple fait de devoir utiliser le même matériel crée donc des conditions tout à fait favorables à l'entraide.

Lorsque les élèves sont obligés de s'entendre sur l'ordre dans lequel ils vont pouvoir utiliser le matériel, ils doivent nécessairement se concerter, discuter ensemble pour planifier la tâche. Voilà une excellente occasion de réfléchir avant de commencer, de ne pas se précipiter dans l'action sans plan.

En somme, c'est dans les situations de coopération qui comportent un partage des ressources en plus d'un but commun que les élèves sont le plus stimulés à coopérer et que les équipes donnent le meilleur rendement. Par conséquent, une situation de coopération optimale doit inclure les deux moyens en même temps.

La disposition physique de la classe

La disposition physique des membres de l'équipe de travail est un autre moyen qui favorise l'interdépendance positive. On doit veiller à minimiser la distance entre les membres d'une équipe et à ne pas isoler une ou un élève en la ou le plaçant à une extrémité de la table, par exemple. Par ailleurs, les élèves ne doivent pas être gênés ou trop entassés dans leur espace commun de travail.

Le mode d'interaction

Le mode d'interaction est parfois mentionné comme un autre moyen de favoriser l'interdépendance positive. En réalité, le mode d'interaction fixe le déroulement des échanges entre les élèves durant toute la durée de la tâche (*voir les fiches explicatives n°s 6 et 7*). Dans la deuxième fiche, on décrit en détail les principales structures d'interaction, diffusées par les écrits de S. Kagan en particulier, que nous utilisons avec profit dans nos activités. Parmi ces structures, mentionnons le « Tour de rôle » qui force chaque membre à participer ou encore « Penser / Regrouper par deux / Partager » qui permet à l'élève d'échanger d'abord à deux avant de présenter sa contribution à toute l'équipe. Selon cette dernière structure, chaque élève est incitée ou incité d'abord à réfléchir individuellement, puis à partager en dyade et, enfin, à partager avec toute l'équipe.

La division du travail

La division du travail est une autre façon de stimuler une plus grande interdépendance positive. Lorsqu'on utilise ce moyen, le travail à accomplir est ainsi partagé que chaque élève doit accomplir une part, qui est sa contribution essentielle à l'achèvement poursuivi. Il peut s'agir de répondre à une question à son tour, de placer son morceau quand c'est le temps ou de fournir à l'équipe des ressources matérielles dont elle a la responsabilité. Dans d'autres situations, la tâche est divisée de telle façon que les actions de chaque membre doivent être complétées pour que les autres membres puissent compléter la leur. Ces situations impliquent que la production d'une ou d'un élève s'ajoute selon un ordre nécessaire à la production d'une ou d'un autre élève, ce qui se produit dans un partage de tâches : chaque élève réalise une partie de la tâche, et toutes les parties s'imbriquent les unes aux autres suivant un arrangement nécessaire (*voir l'activité « La maison incomplète », page 148.*)

Les rôles confiés aux élèves

Les rôles confiés aux élèves pour assurer le fonctionnement de l'équipe contribuent aussi à l'interdépendance positive, car rien ne fonctionne si chacune ou chacun ne joue pas adéquatement le rôle qui lui a été assigné. Le travail d'équipe efficace et agréable est impossible si les jeunes ne participent pas à la régulation de leur interaction. Il existe différents rôles, selon les besoins de l'activité : il y a presque toujours une facilitatrice ou un facilitateur, qui voit à ce que les consignes soient comprises et respectées, que tous participent et fassent ce qu'ils doivent faire. Il y a souvent une messagère ou un messager qui veille à l'approvisionnement en matériel, ou qui va poser des questions à l'enseignante en cas de besoin, une scripteuse ou un scripteur qui prend note du travail comme le fait une ou un secrétaire qui agira le plus souvent comme porte-parole de l'équipe (*voir la fiche n° 8*). Les rôles favorisent donc l'interdépendance parce que chaque élève, en jouant son rôle, contribue au fonctionnement de l'équipe. On ne doit observer aucune rivalité dans l'exécution de ces rôles, mais une recherche de complémentarité.

11. Les regroupements

Le succès de l'apprentissage coopératif repose sur un certain nombre de caractéristiques dont une des plus importantes consiste à ce «que les élèves travaillent en groupes hétérogènes restreints». C'est pourquoi l'enseignante doit apporter beaucoup de soin à choisir les critères qui la guideront dans le choix des regroupements pour sa classe. Elle peut considérer les types de regroupements, leur taille et leur durée.

Les types de regroupements

Les regroupements spontanés

Les regroupements spontanés offrent aux élèves la possibilité de se consulter rapidement, de clarifier ou de vérifier des données, de transmettre des informations ou de corriger des travaux. Pour ce faire, ils échangent durant un court laps de temps avec un ou quelques voisins immédiats, ou s'assoient les uns en face des autres.

Les regroupements de champs d'intérêt

Dans les regroupements de champs d'intérêts, les élèves manifestent de l'intérêt pour un sujet particulier ou l'enseignante propose un thème général à partir duquel les élèves élaborent un plan de recherche et précisent différents aspects à étudier et à se partager. Ce type de regroupement rejoint la pédagogie de projet en lui ajoutant une structure coopérative.

Les regroupements stables

Quand les élèves ont acquis certaines habiletés coopératives et ont expérimenté différents types de regroupements, l'enseignante peut former des équipes stables qui travaillent régulièrement ensemble.

La stabilité favorise le soutien mutuel, donne un cadre sécuritaire propice aux apprentissages académiques, aide à développer un sentiment d'appartenance et contribue même parfois à développer de nouvelles amitiés.

Cependant, malgré la grande attention accordée à la composition de ces regroupements, il peut y avoir un risque de conflits interpersonnels. C'est alors une excellente occasion pour apprendre à les régler. Par contre, si l'enseignante a consacré suffisamment de temps pour bien connaître ses élèves avant de les regrouper, le taux de succès est élevé quant à l'équilibre des équipes, tant du point de vue de l'hétérogénéité que de la compatibilité de leurs membres.

Enfin, cette stabilité n'empêche pas les membres de ces groupes de faire partie d'autres regroupements quand c'est nécessaire.

Les regroupements divisés

Dans les regroupements divisés, l'enseignante propose à la classe un thème global qui est divisé en sous-thèmes. Dans son groupe d'origine formé au hasard, chaque membre choisit ou se voit attribuer un de ces sous-thèmes. Il quitte son groupe pour rejoindre ceux qui travaillent sur le même sujet ou partagent le même point de vue. Le temps écoulé, il revient à son groupe d'origine pour présenter ses informations. À la fin, toute la classe met en commun ses idées afin d'arriver à un accord issu de trois paliers : groupes divisés, groupes d'origine et groupe-classe.

L'enseignante pourrait proposer à la classe de trouver des moyens pour améliorer les périodes de détente dans la cour d'école. Avec l'aide des élèves, le sujet est divisé en cinq parties : le matériel ; l'animation ; le comportement des élèves et des surveillants ; la participation de tous au bon ordre ; la propreté. Chaque élève choisit ou se voit attribuer un sujet puis rejoint ceux qui ont fait le même choix. Après un certain temps, l'élève revient dans son groupe de départ et présente son rapport. À la fin, toute la classe met en commun ses idées et parvient généralement à un consensus.

Les regroupements mixtes

On forme des regroupements mixtes quand des sous-groupes s'associent entre eux pour se consulter, comparer leurs productions, présenter les résultats de leur recherche ou discuter de méthodes de travail *(voir le mode d'interaction « Individuellement/ à deux/à quatre » dans l'activité « Corrigeons ensemble », page 88).*

Les regroupements d'intermédiaires

On forme les regroupements d'intermédiaires en choisissant une ou un élève qui agit comme intermédiaire entre l'enseignante et son groupe stable. Les problèmes communs y sont discutés et l'enseignante en profite pour donner des conseils utiles au bon fonctionnement des différents groupes et de la classe. L'élève qui agit comme intermédiaire doit ensuite transmettre à ses coéquipiers les orientations décidées lors de ces rencontres.

La taille des regroupements

Les dyades

On utilise souvent des regroupements de deux élèves ou dyades pour des activités de réchauffement ou de climat, mais ils conviennent aussi à des tâches mécaniques comme des exercices de mémorisation (tables de multiplication, mots d'épellation). Ils conviennent bien aussi à des activités informelles, courtes, spontanées et ouvertes.

Les regroupements de trois élèves

Les regroupements de trois élèves présentent assez souvent des problèmes particuliers. On peut y observer que deux membres travaillent plus facilement ensemble et isolent le troisième. Si, pour une raison quelconque, une enseignante choisissait de former de tels groupes, elle devrait essayer de trouver des tâches ou des modes d'interaction qui donnent à peu près la même importance aux trois participants et qui ressèrent ainsi l'interdépendance positive. Par exemple, une structure telle « Chacun son tour » ne pose pas ce problème puisque les interactions sont bien réglées. De même, dans une activité avec des rôles, la facilitatrice ou le facilitateur permet aussi d'atténuer cette difficulté.

Les regroupements de quatre ou cinq élèves

En général, il est reconnu que des regroupements de quatre ou cinq élèves sont favorables au bon fonctionnement d'une équipe. La participation et les interactions ont plus de chances d'être assurées dans des groupes de cette taille. On observe que ces équipes ne tombent presque jamais en panne et qu'elles fonctionnent souvent mieux parce qu'il y a assez de membres pour combler les lacunes et compenser les faiblesses.

Les regroupements de plus de cinq élèves

Même si la structuration de ces groupes est complexe, il peut s'avérer parfois nécessaire de procéder à des regroupements plus nombreux quand on veut faire des projets à long terme qui exigent beaucoup de recherches diversifiées. Dans ce cas, l'enseignante doit prendre des précautions supplémentaires pour que le travail soit bien réparti et que tous les rôles soient clairement distribués. De plus, elle doit exercer une supervision plus étroite afin d'intervenir rapidement au moment opportun.

La durée des regroupements

Les types de regroupements analysés dans la présente fiche commandent des durées variables. Les regroupements spontanés et mixtes sont de courte durée puisqu'ils favorisent un échange immédiat soit pour se consulter, pour exprimer une opinion rapide, pour réviser une leçon, pour clarifier une question ou pour expliquer la façon de s'acquitter d'une tâche. En général, ces regroupements qui peuvent durer de 2 à 15 minutes sont plutôt utilisés au début ou à la fin d'une leçon bien qu'on les rencontre aussi tout au long d'un cours pour demander de brefs comptes rendus ou des réponses courtes à des questions bien ciblées.

Les regroupements divisés et les regroupements de champs d'intérêt sont de plus longue durée parce que les élèves, dans ces sous-groupes, travaillent à des tâches reliées à un thème global. Ils exigent un partage de compétences, une recherche de critères de réussite, des capacités d'entraide et, souvent, des habiletés pour établir un consensus. Ces regroupements peuvent durer plusieurs jours et même quelques semaines selon l'importance du thème global déterminé par le groupe-classe.

Enfin, les regroupements stables et les regroupements d'intermédiaires sont destinés à rester les mêmes pour une période assez longue. Comme il a été signalé précédemment, l'enseignante procède à ces regroupements après avoir acquis une bonne connaissance des élèves afin de maximiser le fonctionnement des groupes. En général, ces regroupements sont formés pour plusieurs semaines ou pour tout un trimestre. Il arrive même parfois, mais rarement, qu'ils durent tout un semestre.

Les types, la taille et la durée des regroupements présentés dans cette fiche ne constituent pas les seules avenues pour concevoir les groupes. L'utilisation variée de ces regroupements donnera à l'enseignante l'expérience nécessaire pour élaborer des variantes et des combinaisons adaptées à son groupe d'élèves.

12. La responsabilité individuelle

Selon Michel Pagé, «La coopération en éducation est une forme d'organisation de l'apprentissage qui permet à des petits groupes hétérogènes d'élèves d'atteindre des buts d'apprentissage communs en s'appuyant sur une interdépendance qui implique une pleine participation de chacun à la tâche.» L'interdépendance des élèves dans une équipe de coopération constitue donc une caractéristique essentielle de cette forme d'apprentissage, mais exige en même temps *une pleine participation de chacun à la tâche*. En effet, chaque membre doit apporter sa contribution individuelle pour atteindre l'objectif commun. Il est important que la tâche et le rôle des participants soient clairement définis, reconnus et évalués comme tels. Le travail de groupe en coopération n'entraîne pas la perte d'individualité, d'initiative et de sens des responsabilités. Au contraire, s'il est bien compris et appliqué, il favorise une meilleure compréhension du bien commun et un encouragement à la participation personnelle.

Afin d'assurer la responsabilité individuelle dans tout apprentissage, l'enseignante qui fait travailler ses élèves dans un contexte coopératif ne doit pas négliger les grands impératifs qui conditionnent la participation de chacune et de chacun, c'est-à-dire la motivation, l'utilisation de contenus qui favorisent des apprentissages significatifs, la création et le maintien d'un climat sécurisant dans la classe et dans les équipes.

La motivation

La volonté qui pousse une personne à agir ou à accomplir une tâche est habituellement liée au fait qu'elle poursuive un objectif qui correspond à un besoin. La motivation conditionne l'effort exigé par tout apprentissage, qu'il soit individuel ou coopératif.

L'utilisation de contenus qui favorisent des apprentissages significatifs

Si l'élève voit et comprend la raison d'être, le sens et la valeur de l'apprentissage à faire, il est probable qu'elle ou il s'engagera dans la tâche. De plus, les activités proportionnées à l'âge, à la maturité et aux habiletés cognitives et sociales de chaque élève favoriseront des apprentissages significatifs.

Ces conditions sont liées au travail coopératif autant qu'au travail individuel, mais dans une structure coopérative, elles ont une plus grande importance parce qu'elles doivent rejoindre chaque membre et, en même temps, être significatives pour le groupe.

La création et le maintien d'un climat sécurisant

L'ensemble des activités qui sont susceptibles de favoriser l'apprentissage doit se dérouler dans un contexte dynamique et permissif. L'élève doit sentir que son cheminement est respecté, que l'erreur fait partie intégrante de sa démarche, qu'elle ou il aura la chance de se reprendre et que l'enseignante sera toujours prête à chercher des moyens pour l'accompagner.

Ces conditions sont nécessaires à tout environnement éducatif. Cependant, le travail d'équipe en coopération exige en plus l'ouverture aux autres, la solidarité, l'acceptation, le respect et le souci d'autrui, toutes qualités qui reposent sur l'estime de soi et la sécurité personnelle. Il est donc important que le climat de la classe développe, encourage et soutienne ces attitudes.

Dans l'apprentissage coopératif, on assure la responsabilité individuelle par les modes d'interaction, le partage des rôles et la forme d'évaluation des apprentissages.

Les modes d'interaction

Pour comprendre comment les différents modes d'interaction favorisent la responsabilité individuelle, il faut se référer aux différentes activités et repérer au haut de la grille les éléments qui constituent le « mode d'interaction ». Nous en présentons trois exemples. *(Voir également la fiche « Le choix des modes d'interprétation » et la rubrique « Responsabilité individuelle » dans la grille synthèse qui précède chaque activité.)*

Dans l'activité « Mieux se connaître », le mode d'interaction est « chacun son tour ». Cette façon de procéder permet aux élèves de contribuer de façon personnelle à la réussite de la tâche.

Dans l'activité « Quel défi ! », le mode d'interaction est « la roulette ». Ce mode d'interaction s'apparente à « chacun son tour », mais l'activité est divisée préalablement en étapes qui structurent le travail de chaque élève, assurant ainsi la responsabilité individuelle par la participation de tous.

Enfin, dans l'activité « Mon portfolio », le mode d'interaction est « penser / se regrouper en dyade / partager ». Le fait que chaque élève doive d'abord penser à trois choses qu'elle ou il aime beaucoup et en parler à sa ou son partenaire, fabriquer ensuite son portfolio, l'échanger avec sa voisine ou son voisin et présenter devant la classe le portfolio que sa ou son partenaire a fabriqué. Chacune de ces étapes montre donc l'importance de la participation personnelle qui assure la responsabilité individuelle pour réussir cette tâche.

Le partage des rôles

Dans les trois exemples précédents, les élèves agissent dans un contexte où le déroulement est entièrement planifié. Quand ils ont acquis une certaine expérience en coopération, l'enseignante donne une plus grande part d'autonomie aux équipes et s'assure que le leadership sera partagé en distribuant un rôle à chacune et à chacun. En assumant une tâche et un rôle, chaque élève contribue positivement au travail collectif et au bon fonctionnement de son groupe.

Dans les activités, on trouve souvent l'expression « assumer son rôle » comme moyen d'assurer la responsabilité individuelle. En assumant une tâche et un rôle, l'élève contribue au travail d'équipe et au fonctionnement harmonieux de son groupe.

Ainsi, dans l'activité « J'apprends à faire de la pâte à sel » l'élève est appelé à assumer son rôle de lecteur, de cuisinier ou d'artisan. Dans « Pedro cherche une école », l'élève doit bien jouer son rôle de lecteur, de scripteur, de facilitateur ou de messager. Dans « Dessine-moi toutes sortes de choses », l'élève doit jouer son rôle de lecteur, de dessinateur ou de scripteur.

La forme d'évaluation des apprentissages

Dans le travail coopératif en groupes restreints, l'enseignante accorde une attention spéciale pour s'assurer que les objectifs sont atteints et les tâches bien exécutées. Il ne suffit pas d'évaluer le travail collectif, il faut aussi mesurer le degré d'apprentissage de chacune et de chacun. Pour ce faire, elle utilise différentes techniques qui attirent l'attention des élèves et assurent la participation de chacune et de chacun pendant le déroulement de toute l'activité. Par exemple, elle peut : choisir une ou un porte-parole au hasard qui rend compte du travail de l'équipe ; désigner une ou un élève au hasard pour répondre à des questions reliées au programme d'études ou reliées à la coopération ; donner un travail ou un devoir sous forme d'autoévaluation ; exiger un rapport individuel sous forme de production écrite, de plan, de carte, d'examen, etc.

Qu'elle soit formative ou sommative, la forme d'évaluation qui sera utilisée doit toujours être annoncée au début de la leçon. Cette façon de procéder maintient l'attention, assure la contribution et la participation de chacune et de chacun, et fait appel à la responsabilité individuelle pendant le déroulement.

13. La formation des équipes

Pour la formation des équipes, nous suggérons de créer des équipes hétérogènes à partir de critères qui tiennent compte du groupe d'élèves, de l'activité à réaliser et des objectifs visés. Parmi ces critères, mentionnons l'origine ethnique, le sexe, l'âge, les habiletés sociales, le rendement académique, la connaissance de la langue française par des jeunes allophones, etc. Il faut s'assurer que chaque équipe dispose de toutes les ressources humaines nécessaires pour réaliser la tâche demandée, ce qui assure la complémentarité dans l'équipe.

Pour certaines activités reliées à des objectifs spécifiques du programme d'études, telle une activité portant sur la résolution de problèmes avec les fractions, une hétérogénéité extrême quant au fonctionnement académique des élèves ne semble pas souhaitable. En effet, ces activités, adéquates pour la majorité des élèves, ne sont peut-être pas appropriées pour certains élèves intégrés en classe régulière qui ont d'autres objectifs spécifiques à atteindre. Un tel contexte d'hétérogénéité extrême pour ces activités, s'il survient trop souvent, peut susciter de la frustration et de l'insatisfaction, tant chez ceux qui n'ont pas les connaissances requises pour réaliser l'activité et qui peuvent se sentir perdus que chez ceux qui sont forts et qui peuvent avoir l'impression de perdre leur temps en essayant de s'assurer que tous maîtrisent les notions à acquérir. Cependant, une plus grande hétérogénéité sur le plan académique pourrait être recommandée pour des activités qui sont moins reliées à certains objectifs spécifiques du programme d'études ou pour certaines matières, tels l'enseignement moral, les sciences humaines et les sciences de la nature. Par exemple, une activité de sciences humaines concernant «Nos amis les mammifères» et ayant comme objectif de «décrire dans ses mots des types de relations qui existent entre des animaux» se prêterait probablement bien à des équipes hétérogènes. Ainsi, il serait utopique de considérer le travail coopératif en équipe hétérogène comme la solution miracle aux problèmes d'hétérogénéité académique extrême dans les classes régulières.

1. La formation des équipes par l'enseignante

(Voir les activités « Quel défi ! », « Une murale sur l'environnement », « Des cadeaux pour chacun », « Complète ce poème dédié à ma sœur », « Apprends à mieux lire entre les lignes » et « J'apprends à faire de la pâte à sel ».)

Il nous semble important que les équipes soient formées par l'enseignante si nous voulons assurer une certaine hétérogénéité des membres. L'enseignante doit alors bien connaître son groupe d'élèves, ce qui n'est pas toujours possible en début d'année scolaire. Il est recommandé de procéder ainsi pour former des équipes de base ou des équipes qui vont durer plusieurs semaines. Comme les élèves aiment travailler avec leurs amis, nous suggérons à l'enseignante de tenir compte de cette dimension dans la composition des équipes et de leur fournir des occasions de retrouver une ou un camarade dans leur équipe. Par exemple, l'enseignante peut recourir à un sociogramme ou demander aux élèves de choisir, par écrit, cinq élèves avec qui ils aimeraient travailler et cinq autres avec qui ils n'aimeraient pas se retrouver.

Pour informer les élèves de la composition de ces équipes, la façon la plus simple et la plus rapide est de le dire oralement ou de l'écrire au tableau. Certaines enseignantes préconisent de varier les moyens pour créer un certain suspense tout en favorisant les échanges entre les élèves et l'entraide. Par exemple, l'enseignante peut choisir autant de photos qu'il y a d'équipes à former, couper chaque photo en autant de morceaux qu'il y a de membres dans les équipes, puis insérer chaque pièce dans une enveloppe identifiée au nom d'une ou d'un élève. Quand les élèves reçoivent leur enveloppe, ils doivent trouver les autres morceaux pour compléter leur photo, en s'entraidant si nécessaire, et ainsi connaître leurs partenaires (technique du casse-tête).

Les avantages		Les désavantages
– La formation des équipes par l'enseignante assure l'hétérogénéité des équipes. – L'équipe possède toutes les ressources humaines nécessaires pour réaliser l'activité. – Les élèves vont travailler avec tous les élèves de leur classe à un moment ou l'autre de l'année scolaire. – Les élèves pourront mieux se connaître. – Les élèves faibles académiquement ou peu populaires ne vivront pas un rejet en n'étant pas choisis par les autres.	– Les élèves présentant des problèmes de comportement sont répartis dans les différentes équipes. – Les élèves aux antipathies trop fortes ne se retrouvent pas dans la même équipe, ce qui pourrait entraver le fonctionnement de l'équipe. – Une meilleure réalisation de la tâche est favorisée.	– La formation des équipes par l'enseignante nécessite du temps pour préparer d'avance la formation des équipes. – Certains élèves peuvent se sentir frustrés si les équipes sont toujours formées de cette façon et s'ils n'ont jamais la possibilité de travailler avec des personnes avec qui ils ont des affinités.

2. La formation des équipes au hasard

(Voir l'activité « Mon portfolio ».)

Le recours au hasard pour former les équipes semble approprié surtout en début d'année scolaire quand l'enseignante connaît peu ses élèves. Ce type de formation est également pertinent pour des activités de courte durée qui permettent aux élèves de mieux se connaître et qui favorisent le développement d'un climat positif au sein de la classe. Ce moyen nous semble inapproprié pour créer des équipes de base ou des équipes de longue durée, pour des activités complexes ou trop chargées émotivement.

Avec certains groupes, la formation des équipes au hasard, présentée comme un jeu, pourrait apporter un élément de surprise et augmenter la motivation des élèves à travailler en équipe. Il existe différents moyens où l'entraide est permise. Mentionnons la technique du «casse-tête» précédemment décrite, mais où les enveloppes non identifiées sont distribuées au hasard; le recours au jeu de cartes et la remise au hasard de ces cartes, les as formant une équipe, les rois une deuxième, et ainsi de suite; le «continuum», où les élèves se placent en ligne à partir d'un critère particulier, les premiers élèves formant la première équipe, les suivants la deuxième, et ainsi de suite. Comme autre moyen, suggérons l'identification d'un pays par équipe et d'autant de villes par pays qu'il y a de membres dans les équipes, puis la remise au hasard à chaque élève d'un carton où est inscrit le nom d'une de ces villes; les élèves doivent trouver leurs coéquipiers en retrouvant les villes du même pays; lorsqu'il y a des élèves de plusieurs origines ethniques dans la classe, il est suggéré de choisir ces pays.

Les avantages	Les désavantages
– La formation des équipes au hasard nécessite peu ou pas de temps de préparation selon le moyen choisi. – Les élèves ne vivent pas un rejet en n'étant pas choisis. – Les élèves peuvent mieux connaître leurs collègues de classe.	– La formation des équipes au hasard n'assure pas l'hétérogénéité des équipes. – L'équipe ne possède pas nécessairement toutes les ressources humaines nécessaires pour réaliser l'activité. – Il est possible que des élèves ayant des problèmes de comportement ou que des élèves ayant de fortes antipathies se retrouvent dans la même équipe.

3. La formation des équipes par les élèves

La formation des équipes en fonction de leurs champs d'intérêt

Pour certaines activités, il est recommandé de laisser les élèves se regrouper en fonction de leurs champs d'intérêt pour la tâche. Cette situation se présente lorsque la classe entière travaille à un projet commun et qu'il y a subdivision de la tâche entre les équipes par perspectives ou thèmes différents. Les équipes n'ont pas une tâche identique à réaliser, mais une tâche complémentaire qualitativement. La technique de «Recherche en groupe» (*Group Investigation in the Cooperative Classroom*) développée par Sharan et Sharan se prête bien à cette formation des équipes[1].

La structure «Les coins» de Spencer Kagan est appropriée pour créer de telles équipes[2]. Il y a autant de coins qu'il y a d'équipes, chaque coin représente un thème ou un aspect du travail et les élèves se dirigent vers le coin qui correspond à leur champ d'intérêt pour former leur groupe de travail.

---

1. Yael SHARON et Shlomo SHARAN, «Group Investigation In The Cooperative Classroom» dans *Handbook of Cooperative Learning Methods*, Westport (Connecticut), Greenwood Press, 1994.
2. Spencer KAGAN, *Cooperative Learning*, San Juan Capistrano (Californie), Kagan Cooperative Learning, 1992.

Les avantages	Les désavantages
– La formation des équipes en fonction de leurs champs d'intérêt favorise la participation des élèves dans l'activité et leur adhésion au but commun. – Les élèves ne vivent pas de rejet. – Ce type de formation des équipes de préparation nécessite peu ou pas de temps de préparation. – Le travail entre élèves ayant des champs d'intérêt communs est favorisé, ce que les élèves aiment.	– La formation des équipes en fonction de leurs champs d'intérêt n'assure pas l'hétérogénéité des équipes. – L'équipe ne possède pas nécessairement toutes les ressources humaines nécessaires pour réaliser l'activité. – Les élèves ayant des problèmes de comportement ou ayant de fortes antipathies peuvent se retrouver dans la même équipe.

La formation des équipes selon leurs affinités personnelles

Dans le travail d'équipe habituel, les enseignantes laissent souvent les élèves se regrouper eux-mêmes, sans autre précision, mais nous ne recommandons pas cette façon de faire. Dans ce contexte, nous avons observé que les élèves ont souvent tendance à se regrouper avec leurs amis ou à s'associer aux élèves les plus forts académiquement ou les plus populaires, ce qui suscite chez les élèves non choisis (parce qu'ils ont des difficultés d'apprentissage ou de socialisation) de l'anxiété et un sentiment de rejet. Laisser les élèves se regrouper ainsi peut accentuer les tensions et ne favorise pas un sentiment d'appartenance à la classe. Laisser les élèves former eux-mêmes les équipes ne devrait être permis qu'à l'occasion, et surtout avec des élèves plus âgés, lorsque le climat est très positif dans la classe. Les élèves doivent également avoir acquis beaucoup d'expérience en coopération afin de s'engager à ce que tous soient intégrés dans une équipe et que personne ne soit rejeté.

Les avantages	Les désavantages
– La formation des équipes selon leurs affinités personnelles ne nécessite aucun temps de préparation. – La motivation de certains élèves, ceux qui aiment travailler avec leurs amis, est à la hausse. – Ce type de formation des équipes favorise l'autonomie des élèves et la responsabilité de la composition des équipes par les élèves eux-mêmes.	– La formation des équipes selon leurs affinités personnelles n'assure pas l'hétérogénéité des équipes. – L'équipe ne possède pas nécessairement toutes les ressources humaines nécessaires pour réaliser l'activité. – Dans certaines situations, des élèves peuvent ne pas être choisis et vivre un rejet. – Les élèves ne développent pas un sentiment d'appartenance au groupe-classe, mais à des sous-groupes. – Les équipes ainsi constituées ne favorisent pas un climat positif au sein de la classe. – Des élèves ayant des problèmes de comportement se regroupent dans la même équipe.

14. La rétroaction : l'évaluation des objectifs reliés au programme d'études

La question principale qui se pose à propos de l'évaluation des performances scolaires réalisées en coopération est celle d'un choix judicieux parmi trois couples de possibilités : une évaluation qualitative ou quantitative, formative ou sommative, individuelle ou collective. Nous ne proposons pas de choisir une seule de ces possibilités et de la défendre contre toutes les autres. À l'instar de Clarke, Wideman et Eadie, nous pensons que ces différentes formules ont chacune leur utilité propre et qu'il faut les utiliser à bon escient[1]. En outre, nous devons également porter une grande attention à la procédure de l'évaluation : est-elle effectuée exclusivement par l'enseignante ou les élèves y sont-ils associés ?

Dans la présente fiche, nous indiquons comment choisir parmi ces possibilités. L'évaluation porte sur les apprentissages scolaires réalisés et sur la qualité de la coopération mais, comme le propose clairement la grille de chaque activité, ces deux évaluations sont séparées. Ainsi, la fiche n° 14 porte sur l'évaluation des objectifs reliés au programme d'études et la fiche n° 15, sur l'évaluation des objectifs reliés à la coopération.

L'évaluation formative et qualitative

Dans les activités du *Guide*, l'évaluation des apprentissages est formative et qualitative dans le plus grand nombre de cas. Plusieurs raisons justifient notre préférence à cette formule.

Même si les activités de ce *Guide* portent toutes sur des apprentissages prévus au programme d'études, il n'était pas nécessaire de noter la réussite puisque aucune activité ne couvre une unité d'étude entière devant faire l'objet d'une évaluation sommative. Ce choix se justifie facilement puisque l'évaluation formative est la formule la plus recommandée pour l'évaluation de l'apprentissage au cours d'une unité d'étude[2].

De plus, le couplage du formatif et du qualitatif s'explique facilement. L'évaluation formative remplit mieux son but lorsqu'elle est qualitative, car elle donne de nombreuses indications pour l'amélioration des apprentissages. Comme l'écrit Cohen, une rétroaction donnée pendant le déroulement de l'activité d'apprentissage, ou à la fin d'une étape, est une procédure qui stimule les élèves et les aide à modifier leur stratégie au besoin bien davantage que l'attribution d'une note[3].

---

1. J. CLARKE, R. WIDEMAN et S. EADIE, *Apprenons ensemble*, Montréal, Les Éditions de la Chenelière, 1992.
2. *Ibid.,* p. 145.
3. E. COHEN, *Le travail de groupe : stratégies d'enseignement pour la classe hétérogène*, Montréal, Les Éditions de la Chenelière, 1994.

L'évaluation de l'équipe et des performances individuelles

Clarke *et al.* énoncent clairement différents critères sur la place que doit occuper l'évaluation du travail d'équipe. Bien qu'ils énoncent ces critères en ce qui concerne l'attribution d'une note dans une évaluation quantitative, leur suggestion s'applique bien à l'évaluation qualitative. Ils distinguent trois cas :

1. si le résultat du travail de groupe est une œuvre commune, l'évaluation porte sur l'œuvre commune ;
2. si le résultat du travail de groupe est une œuvre individuelle, les élèves sont évalués individuellement ;
3. si le résultat du travail de groupe est une œuvre commune à laquelle chaque élève apporte une contribution individuelle distincte, l'évaluation est une combinaison de l'évaluation des performances individuelles et de l'évaluation de la production du groupe.

Le troisième cas est celui qui se présente le plus souvent et nous pensons que c'est heureux ainsi. En effet, en combinant l'évaluation collective et individuelle, nous maximisons les effets bénéfiques de la coopération. Comme le soutiennent Johnson et Johnson, on peut retirer les bienfaits du travail en coopération seulement si les membres de l'équipe se sentent vraiment liés par un sort commun[4]. Dans cette perspective, l'évaluation du travail de l'équipe devient un instrument puissant pour maximiser l'interdépendance positive, qui est au cœur du travail en coopération. Ainsi, les membres de l'équipe sont portés à s'entraider du mieux qu'ils peuvent lorsque l'aide donnée par un membre à un autre permet d'améliorer la contribution de cette dernière ou de ce dernier au résultat de l'équipe. L'entraide profite alors à l'élève qui aide, car la note obtenue par l'équipe lui est attribuée aussi.

L'attention qu'il faut accorder à l'évaluation de la production de l'équipe n'est pas une raison suffisante pour évacuer toute évaluation des performances individuelles. Cohen considère que l'évaluation doit satisfaire également le principe de la reconnaissance des mérites individuels[5]. Cette évaluation peut toujours prendre une forme qualitative. Or, si on attribue des notes aux élèves à des fins d'évaluation sommative, la plupart des auteurs préconisent que la note soit toujours obtenue par une performance à une épreuve individuelle. L'évaluation sommative, quantitative ou individuelle se pratique souvent séparément de l'apprentissage en coopération. On y évalue ce que chaque élève a appris à la suite de séances d'apprentissage en coopération. On évite ainsi que la reconnaissance des mérites individuels entrave la qualité de l'interaction dans le travail d'équipe en coopération. Lorsque les élèves sont évalués individuellement pour une production réalisée en équipe, on peut utiliser aussi des moyens qui font en sorte que les élèves soient adéquatement récompensés pour la qualité de leur production dans le travail d'équipe et qu'ils soient par conséquent stimulés à y participer dans une interdépendance positive optimale.

---

4. D.W. JOHNSON et R.T. JOHNSON, *Positive Interdependence : Key to Effective Cooperation*, dans R. HERTZ-LAZAROWITZ et N. MILLER, *Interaction in Cooperative Groups*, New York, Cambridge University Press, 1993.
5. E. COHEN, *Le travail de groupe : stratégies d'enseignement pour la classe hétérogène*, Montréal, Les Éditions de la Chenelière, 1994.

Une évaluation qualitative de la production d'équipe

L'évaluation d'équipe doit-elle être quantitative ou qualitative? Comment peut-on évaluer la performance des élèves lorsque la tâche est réalisée en groupe? Réfléchissons d'abord à une idée fort pertinente de Cohen sur le rôle que joue réellement l'évaluation dans l'apprentissage. «Pour répondre à cette question, il faut séparer l'apprentissage de l'attribution d'une note.», écrit-elle [6]. Pour apprendre, tous les élèves ont besoin de savoir, à mesure que se déroule l'activité d'apprentissage, jusqu'où ils ont atteint l'objectif qui leur est proposé et ce qu'il leur reste à faire pour l'atteindre. Au terme d'un apprentissage, ils ont besoin de savoir jusqu'à quel point ils ont atteint l'objectif. C'est cela l'essentiel et il faut l'assurer de la meilleure façon possible.

À la fin d'une tâche d'apprentissage réalisée en équipe, la rétroaction peut être donnée d'une autre façon que par la notation. Que ce soit pendant l'apprentissage ou au terme d'une activité, la rétroaction peut venir de plusieurs sources et Cohen recommande de les exploiter toutes. C'est parfois la tâche elle-même qui indique le degré d'apprentissage selon l'objectif visé. Les productions d'équipes peuvent être évaluées par l'ensemble de la classe, où l'on discute de critères d'évaluation. L'enseignante elle-même apporte sa propre évaluation, qui sera bien plus profitable si elle met en évidence la qualité de la production et les défauts qui devront être corrigés à l'essai suivant. Selon Cohen, le travail d'équipe peut être beaucoup mieux stimulé par une rétroaction qui prend la forme d'une évaluation qualitative. Le caractère public de cette évaluation et le climat d'émulation dans lequel elle peut être réalisée peuvent suffisamment assurer, croit-elle, la participation des élèves et l'interdépendance dans le travail d'équipe.

Cette procédure remplace avantageusement la notation des productions de groupe et l'attribution d'une note de groupe aux élèves. L'évaluation donnée par une rétroaction soutient non seulement un meilleur apprentissage à cause de son aspect qualitatif, mais permet également et surtout d'éviter des problèmes incontournables dans une situation de notation collective, problèmes qui entravent les bénéfices de l'apprentissage en coopération. Cohen souligne en particulier deux problèmes qui ne manquent pas de se produire lorsqu'une équipe est trop stimulée à obtenir la meilleure note collective possible. Les élèves qui sont perçus moins compétents se voient interdire la participation à la tâche, car ils risquent de compromettre la qualité de la production. Les élèves perçus plus compétents sont alors conviés à prendre en main le travail, car ils représentent la promesse d'une note plus élevée pour l'équipe. Lorsque ces problèmes surviennent, la coopération n'est plus au rendez-vous, et les élèves de capacités différentes ne peuvent tirer aucun profit d'une interdépendance positive optimale. Pour toutes ces raisons, Cohen adopte une position nette: «Il est donc préférable de fournir une rétroaction sur la production du groupe plutôt que de lui attribuer une note [7].» Si la tâche est stimulante et gratifiante, les élèves y investiront de plein gré.

---

6. E. COHEN, *Le travail de groupe: stratégies d'enseignement pour la classe hétérogène*, Montréal, Les Éditions de la Chenelière, 1994.

7. *Ibid.*

Pour ce qui est de l'évaluation sommative quantitative, elle n'est pas exclue pour les apprentissages réalisés en coopération, d'autant plus qu'on ne peut l'éviter dans notre système d'éducation. Il est rare que l'évaluation sommative quantitative s'applique immédiatement à une activité de coopération, car ces activités ne couvrent pas une unité d'étude entière, alors que l'évaluation sommative s'applique en fin d'unité d'étude. L'évaluation quantitative, pour sa part, est préférentiellement individuelle. Nous devons donc adapter ces formes d'évaluation aux types d'apprentissages réalisés en coopération.

L'apport des élèves à l'évaluation formative et qualitative

L'enseignante demeure *la* responsable de l'évaluation, mais elle doit aussi faire appel au jugement des élèves sur eux-mêmes et sur leurs pairs. C'est la suggestion de Clarke *et al.* qui, bien entendu, s'applique idéalement dans le cas d'une évaluation formative et qualitative. Selon ces auteurs, on peut également associer les élèves à la planification de l'évaluation, en discutant avec eux les objectifs d'apprentissage, et à la conduite de l'évaluation. La procédure recommandée est l'autoévaluation anecdotique de groupe [8].

---

8. J. CLARKE, R. WIDEMAN et S. EADIE, *Apprenons ensemble*, Montréal, Les Éditions de la Chenelière, 1992, p. 157.

15. La rétroaction : l'évaluation des objectifs reliés à la coopération

Dans le présent ouvrage, le terme « rétroaction » englobe également le processus d'évaluation du fonctionnement interactif de l'équipe dans les séances d'apprentissage en coopération. Ainsi, ce terme signifie un retour sur ce qui s'est passé pendant le travail d'équipe afin de l'apprécier et de prévoir les améliorations à apporter au fonctionnement de l'équipe.

Dans la coopération, on délègue aux élèves la responsabilité de régler l'interaction, ce qui leur permet d'accomplir en équipe la tâche demandée. Comme l'explique la fiche n° 7, parfois les élèves doivent se plier à une structure imposée, surtout au début ; parfois ils doivent être responsables de leur interaction en jouant des rôles qui leur sont confiés à cette fin. Dans les deux situations, il est essentiel d'évaluer la qualité de la coopération obtenue. Cette évaluation tient compte, bien sûr, des exigences propres à chaque formule.

Dans le cas d'une interaction régie par une structure imposée, la rétroaction vise à vérifier dans quelle mesure les élèves ont bien suivi les règles de cette structure. Cette évaluation est relativement simple. Par exemple, si la structure imposée est « À tour de rôle », les élèves doivent attendre leur tour pour parler, ils doivent écouter les autres lorsque c'est leur tour, etc. La rétroaction touche ce point important en premier lieu.

Dans le cas d'une interaction régie par des rôles, il est plus difficile de prévoir tous les points sur lesquels le retour doit porter. Il faut pourtant fournir aux élèves des grilles de rétroaction à questions ouvertes et les inviter à y répondre. L'enseignante peut, à l'occasion, glisser ses propres observations. Par exemple, les questions peuvent être : « Y a-t-il des comportements qui vous ont gêné durant l'activité ? » ; « Vous a-t-on empêché de participer pleinement ? » Bien sûr, la rétroaction ne consiste pas seulement à chercher les aspects négatifs, mais à souligner les aspects positifs. Les questions « Qu'est-ce que vous avez le plus apprécié chez les autres ? » ou encore « Qu'est-ce qui vous a le plus aidé à collaborer à la tâche ? » en sont des exemples.

On fournit généralement à l'équipe une grille où on suggère des points de fonctionnement sur lesquels le retour doit porter. Cette grille ne tient pas toujours compte de toutes les exigences de l'activité. Elle varie selon le degré de pratique des élèves ; elle porte principalement sur ce que l'enseignante juge pertinent de demander aux élèves à un moment donné.

Il doit toujours y avoir une période de retour sur le fonctionnement dans le déroulement d'une activité. On peut la situer à la fin, quand les activités sont courtes. Mais dès que l'activité est appelée à durer un certain temps, disons plus d'une heure, il est préférable que la séance de retour permette de corriger ce qui ne va pas en cours de route, ce qui peut être très profitable pour la fin de l'activité. Dans ce cas, elle doit survenir au milieu du déroulement de l'activité.

Cohen dresse clairement la liste des comportements qui manifestent l'établissement du lien de coopération entre les membres d'une équipe et même d'une classe.

> Donner une tâche de groupe, c'est introduire un changement important dans les normes de la classe traditionnelle. On demande maintenant à l'élève de dépendre des autres élèves. Les élèves sont maintenant responsables non seulement de leur propre comportement, mais aussi du comportement du groupe et du produit de l'effort du groupe. Ils doivent maintenant écouter les autres élèves plutôt que l'enseignant. Ils doivent apprendre à demander l'opinion des autres, à leur donner la chance de parler et à faire des contributions brèves et sensées à l'effort du groupe pour que le travail du groupe puisse se faire sans heurt. Ce sont là des exemples de nouvelles normes qu'il est utile d'enseigner avant de commencer le travail de groupe[1].

En plus des comportements qui caractérisent toujours la coopération, on doit également évaluer des comportements spécifiques qui ont un effet déterminant sur une tâche en particulier. Ces comportements varient selon les tâches. Par exemple, lorsque les élèves d'une équipe sont appelés à collaborer pour réaliser une tâche d'apprentissage ensemble en décidant eux-mêmes le déroulement de leur interaction, ils doivent adopter les comportements suivants : savoir écouter pour comprendre ce dont l'autre peut avoir besoin ; aider en donnant des explications complètes. Dans une tâche de discussion, on doit cibler d'autres comportements : personne ne doit chercher à dominer le groupe ; savoir demander l'opinion des autres ; écouter les idées des autres ; réfléchir à ce que les autres disent ; exposer suffisamment son point de vue, mais pas trop longuement.

En outre, Cohen souligne que les comportements d'interaction positifs ne suffisent pas. Ils peuvent être tous parfaitement exécutés dans un travail de groupe qui pourtant s'avère inefficace. C'est ce qui arrive lorsque les élèves produisent des idées éparses sans une stratégie organisée pour atteindre le but. L'organisation de la tâche est une autre qualité d'une bonne activité de coopération.

La rétroaction est un outil indispensable pour aider les élèves à développer les habiletés sociales requises. Elle doit servir à cette fin. Donc, parmi tous les comportements liés à une tâche donnée, on mettra l'accent sur quelques comportements à un moment donné, car il est inutile d'en inclure trop dans une seule rétroaction. Au moment opportun, on insistera sur les comportements à développer ; à un autre temps, sur les comportements à consolider.

Dans la deuxième partie du *Guide*, les activités comportent toutes une rubrique intitulée « Rétroaction », où sont consignées les questions posées aux élèves pour diriger l'autoévaluation de leur fonctionnement sur des comportements précis. Parfois, les élèves répondent à ces questions en équipe. C'est à ce moment qu'ils peuvent encourager l'action d'une ou d'un élève, ou lui faire remarquer qu'elle ou il

---

1. E. COHEN, *Le travail de groupe : stratégies d'enseignement pour la classe hétérogène*, Montréal, Les Éditions de la Chenelière, 1994, p. 45.

ne se rend pas toujours compte des effets négatifs de sa façon d'agir ou de réagir et lui suggérer des solutions. Bref, la rétroaction est principalement une autoévaluation du fonctionnement de l'équipe réalisée par les élèves. L'enseignante est un témoin actif des séances de rétroaction. Elle y ajoute son mot, fait part de ses impressions et de ses observations, mais jamais elle ne se substitue aux élèves eux-mêmes. Elle les encourage, les soutient, suggère des améliorations lorsqu'elle remarque que les élèves omettent de le faire.

Par conséquent, la séance obligatoire de rétroaction ne doit jamais être dirigée par l'enseignante seulement. Le plus souvent, elle n'est pas la principale instigatrice de la rétroaction. En fait, ce sont les élèves qui doivent exercer la rétroaction sur leur fonctionnement. Il revient à l'enseignante d'observer ce qui se passe ; à cette fin, elle peut se munir d'une grille précise pour coter le comportement de ses élèves, mais il est unanimement reconnu que les élèves doivent être les premiers acteurs de la rétroaction.

Le but de la rétroaction est essentiellement formatif, car elle a lieu pour permettre aux élèves de s'améliorer dans leur fonctionnement en équipe. Ce n'est jamais une évaluation sommative visant à donner une note au bulletin.

Bibliographie

ABRAMI, P., CHAMBERS, B., POULSEN, C., DE SIMONE, C., D'APOLLONIA, S. et HOWDEN, J. *L'Apprentissage coopératif. Théories, méthodes, activités,* Montréal, Les Éditions de la Chenelière, 1996.

BECKER, E., et FUCHSHUBER, A. *Kinder sehen dich an*, Adventskalender Lahr (Ernst Kayfmann Verlag), 1982.

CLARKE, J., WIDEMAN, R. et EADIE, S. *Apprenons ensemble*, Montréal, Les Éditions de la Chenelière, 1992.

COHEN, E. *Le travail de groupe : stratégies d'enseignement pour la classe hétérogène*, Montréal, Les Éditions de la Chenelière, 1994.

COMMISSION SCOLAIRE BALDWIN-CARTIER, *Mathématiques 6e année, Banque de questions PC^2*, 1992.

JOHNSON D.W,. et JOHNSON, R.T. *Creative Controversy. Intellectual Challenge In The Classroom,* Edina (Minnesota), Interaction Book Company, 1992.

JOHNSON, D., et JOHNSON, R.T. *Positive Interdependence: Key to Effective Cooperation*, dans HERTZ-LAZAROWITZ, R. et MILLER, N., *Interaction in Cooperative Groups*, New York, Cambridge University Press, 1993.

JOHNSON, D., JOHNSON, R. et HOLUBEC, E. *Advanced Cooperative Learning,* Edina (Minnesota), Interaction Book Company, 1992.

KAGAN, S. *Cooperative Learning*, Kagan Cooperative Learning, San Juan Capistrano (Californie), 1992.

KAGAN, S., et KAGAN, M. « The Structural Approach : Six Keys to Cooperative Learning », dans SHARAN, S., *Handbook of Cooperative Learning Methods*, Westport (Connecticut), Greenwood Press, 1994.

MORETTI, G., STEPHENS, M., GOODNOW, J., HOOGEBOOM, S. « The Problem Solver 6 », *Activities for Learning Problem-Solving Strategies*, Creative Publications, 1987.

SHARON, Y., et SHARAN, S. *Group Investigation In The Cooperative Classroom,* dans *Handbook of Cooperative Learning Methods*, Westport (Connecticut), Greenwood Press, 1994.

TARDIF, J. *Pour un enseignement stratégique*, Montréal, Éditions Logiques, 1992.

Chenelière/Didactique

POUR PLUS DE RENSEIGNEMENTS OU POUR COMMANDER, COMMUNIQUEZ AVEC NOTRE SERVICE À LA CLIENTÈLE AU **(514) 273-8055.**

Chenelière/McGraw-Hill
7001, boul. Saint-Laurent
Montréal (Québec)
Canada H2S 3E3
Téléphone : (514) 273-1066
Télécopieur : (514) 276-0324
chene@dlcmcgrawhill.ca